독해? 독해!
독해가 뭐예요?

똑똑한 독해 질문 하나!

다들 '독해, 독해' 하는데 독해가 뭐예요?

글자를 읽기만 하는 게 아니라
진짜 이해하여 내 지식으로 만드는 것이 독해예요!

똑똑한 독해 질문 둘!

그럼 독해는 국어인가요?

독해는 그냥 국어만이 아니에요. 읽고 이해하는 독해가 안되면 수학 문제도 풀 수 없어요. 이처럼 독해는 모든 과목 공부를 잘하기 위한 기초랍니다. 독해를 통해 모든 과목의 지식을 내 것으로 만드는 방법을 배워야 해요.

똑똑한 독해 질문 셋!

글 읽고 문제만 계속 풀면 독해 공부가 되나요?

무조건 글 읽고 문제만 푼다고 독해 공부가 잘될 리 없지요. 「똑똑한 하루 독해」로 공부해 보세요. 먼저 어휘를 익히고 시나 이야기뿐만 아니라 수학, 사회, 과학, 역사, 예술은 물론 생활 속 글까지 다양하게 읽어 보세요. 그리고 어휘 심화 문제와 게임으로 실력을 다져요. 이해도 쏙쏙 되고 지루할 틈이 없겠지요?

진짜 똑똑한 독해를 시작해 볼까요?

이 책의
특징과 장점

똑똑한 하루 독해로
똑똑해지자!

뭐 이렇게 독해책이 많아?

모르는구나?
요즘 독해가 대세야!

독해를 잘해야 국어뿐만
아니라 다른 과목 문제를
풀 때에도 요점을 잘 짚어
이해하고 풀 수 있다고.

독해는 어휘가 기본인데,
이 책은 어휘가 너무 부족해.

이 책은 너무 글만 가득해서
어렵고 지루해. 벌써 졸려!

이 책은 몽땅 교과서 글만 있잖아.
난 다양한 글을 읽고 싶은걸.

똑똑한 하루 독해!

왜 똑똑한 하루 독해일까요?

1 **10분**이면 **하루 독해 끝!** 쉽고 재미있는 독해 공부!

2 **어휘로 준비하고 어휘로 마무리!** 어휘력 쏙! 독해력 쑤욱!

3 **'문학·비문학·실생활' 알짜 지문!** 하루하루 다양하고 즐거운 독해!

4 독해 최초 **생활 속 독해, 생활 어휘, 생활 한자!** 생활 맞춤 실용 독해 완성!

5 **똑똑한 독해 게임**으로 **사고력 넓히기!** 창의·융합 독해력 팍팍!

이 책의
구성과 활용

주 도입

한 주에 공부할 내용을
한눈에 보고,
문제로 확인합니다.

한 주 동안 매일 공부할 글의 제목과 내용을 만화로 미리 살펴
보고, 한 주의 독해 속 어휘를 만화와 문제로 확인합니다.

독해 코스

QR 코드를 찍으면
다양한 학습 자료를
보고 들을 수 있어요.

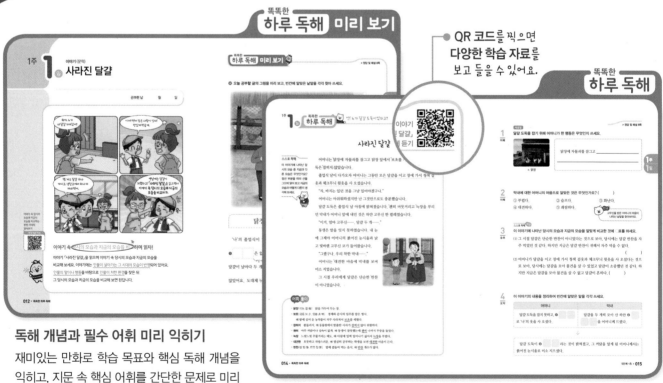

독해 개념과 필수 어휘 미리 익히기

재미있는 만화로 학습 목표와 핵심 독해 개념을
익히고, 지문 속 핵심 어휘를 간단한 문제로 미리
익히며 독해를 준비합니다.

실전 독해와 다양한 유형의 핵심 문제 풀기

여러 영역의 글을 읽고 다양한 유형의 문제로 독해를 완성합니다. 서술형 문제로
쓰기 연습을 해 보고, '스스로 독해 해결!' 문제로 자기 주도 학습 능력을 키웁니다.

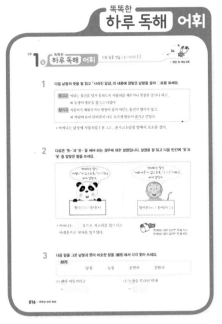

어휘 문제로 마무리하기

글에 쓰인 어휘를 문제로 다시 한번 확인
하고 비슷한말, 반대말 등 관련 어휘 학습
으로 어휘력을 넓힙니다.

게임으로 독해력 넓히기

재미있는 독해 게임으로 독해력을 넓히고
하루의 독해 학습을 마무리합니다.

누구나 100점 테스트와
주 특강으로 한 주의 독해를
마무리해 봅니다.

주 마무리

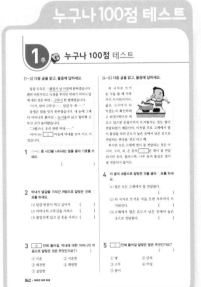

누구나 100점 테스트

한 주 동안 공부한 내용을 평가해
보며 독해 실력을 확인하고, 독해에
대한 자신감을 키웁니다.

주 특강 창의·융합·코딩

다양한 형식의 창의·융합·코딩 미션을 해결하며 한 주의
중요 어휘를 확인하고 다양한 배경지식을 넓힙니다.

친구들과 약속해요!

우리 같이 약속해요!

첫째, 하루하루 빠짐없이 꾸준히 공부하기!

둘째, 하루 독해 문제 끝까지 다 풀기!

셋째, 틀린 문제는 왜 틀렸는지 다시 한번 확인하기!

약속하는 사람 _____

 쉽고 재미있는
『똑똑한 하루 독해』로
독해 공부를 시작해 봐요.

똑 똑 한

하루
독해

NYANGI

5 단계
A
4~5학년

1주

1주에는 무엇을 공부할까? ❶

운동을 해도 살이 왜 안 빠지지? 예전의 멋진 모습으로 돌아가고 싶어.

운동도 계획적으로 해야지. 「운동 습관 점검표」를 읽고 운동 실천 계획을 세워 봐.

쓱~

펑~!

멋진 말이네. 「궁궐에서 즐기던 놀이」를 읽어 보니 옛날 궁궐에서는 말을 타고 즐기는 놀이가 있었대.

샤랄라~

나도 왕자님과 말을 타고 신나게 달리던 때가 있었지.

펑~!

이 사과를 먹는 바람에······.

으···

사과가 달처럼 동그랗다. 동시 「달」에서는 왜 달을 문에 빗대어 표현했을까? 문은 네모난데.

이거 독 사과야! 한번 먹어 볼래?

1주에는 무엇을 공부할까? ❷

1-1 다음 문장에 넣을 바른 낱말을 골라 ○표를 하세요.

내 눈에 그제야 어머니의 붉어진 눈시울과 낡고 (빛바란 , 빛바랜) 고무신 코가 들어왔습니다.

1-2 다음 문장에서 잘못 쓴 낱말을 찾아 바르게 고쳐 쓰세요.

책상 서랍을 정리하다가 빛바란 일기장을 발견했다.

(   ) → (   )

힌트
'빛바래다'는 '낡거나 오래되다.'라는 뜻의 낱말이에요.

▶ 정답 및 해설 8쪽

2-1 다음 문장에 넣을 바른 낱말을 골라 ○표를 하세요.

    숟가락처럼 생긴 (채 , 체)로 공을 쳐서 상대방 골문에 넣으면 되는데, 공은 나무를 깎아서 만들었어요.

2-2 다음 빈칸에 '채'가 들어가야 하는 문장을 골라 ○표를 하세요.

(1) 동우가 팽이를 [　　　]로 쳐서 돌렸다. (　　　)

(2) 요리사가 쌀가루를 [　　　]에 내려서 곱게 만들었다. (　　　)

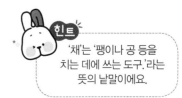

힌트

'채'는 '팽이나 공 등을 치는 데에 쓰는 도구.'라는 뜻의 낱말이에요.

사라진 달걀

공부한 날   월   일

이야기 속 당시의 모습과 지금의 모습을 비교하는 방법 자세히 알아보기

천재 학습 백과

이야기 속 당시의 모습과 지금의 모습을 비교하며 읽자!

이야기 「사라진 달걀」을 읽으며 이야기 속 당시의 모습과 지금의 모습을

비교해 보세요. 이야기에는 인물이 살아가는 그 시대의 모습이 반영되어 있어요.

인물의 말이나 행동을 바탕으로 인물이 처한 환경을 찾은 뒤

그 당시의 모습과 지금의 모습을 비교해 보면 된답니다.

● 오늘 공부할 글의 그림을 미리 보고, 빈칸에 알맞은 낱말을 각각 찾아 쓰세요.

| 닭장 | 반찬 | 잠그지 | 잡히지 |

‘나’의 졸업식이 다가오자 아버지께서는 ‘나’에게 좋은 옷을 사 주기 위해 달걀

❶ [　　　]   은 없다고 말씀하셨어요. 그런데 일주일 뒤부터 ❷ [　　　]   에 있는
  ↳밥에 곁들여 먹는 음식.   ↳닭을 가두어 두는 장.

달걀이 날마다 두 개씩 사라지는 게 아니겠어요? 그 달걀 도둑은 ❸ [　　　]
                                                            ↳붙들리지.

않았어요. 도대체 누가 왜 달걀을 훔쳐 갔을까요?

이야기 「사라진 달걀」 전체 듣기

사라진 달걀

이미애

스스로 독해

이 이야기에 나타난 당시의 모습 중 지금과 다른 모습은 무엇인가요? 점선 부분을 따라 선을 그으며 읽어 보고 지금의 모습과 어떻게 다른지 생각해 보세요.

어머니는 닭장에 자물쇠를 잠그고 닭장 앞에서 보초를 서 보기도 했지만 도둑은 잡히지 않았습니다.

졸업식 날이 다가오자 어머니는 그동안 모은 달걀을 이고 장에 가서 청색 겉옷과 체크무늬 윗옷을 사 오셨습니다.

"자, 바지는 입던 것을 그냥 입어야겠구나."

어머니는 아쉬워하셨지만 난 그것만으로도 충분했습니다.

달걀 도둑은 졸업식 날 아침에 밝혀졌습니다. 괜히 머뭇거리고 늑장을 부리던 막내가 어머니 앞에 내민 것은 하얀 고무신 한 켤레였습니다.

"이거, 엄마 고무신…… 달걀 두 개……."

동생은 말을 잇지 못하였습니다. 내 눈에 그제야 어머니의 붉어진 눈시울과 낡고 빛바랜 고무신 코가 들어왔습니다.

"그랬구나. 우리 착한 막내……."

어머니는 대견한 마음에 막내를 보며 미소 지었습니다.

그 시절 우리에게 달걀은 단순한 반찬이 아니었습니다.

어휘 풀이

▼ **닭장**|장롱 장 欌| 닭을 가두어 두는 장.

▼ **보초**|걸음 보 步, 망볼 초 哨| 경계와 감시의 임무를 맡은 병사.
  ⑩ 밭에 심어 둔 농작물이 자꾸 사라져서 보초를 세웠다.

▼ **잡히지** 붙들리지. ⑩ 동물원에서 탈출한 사자가 잡히지 않아 위험하다.

▼ **괜히** 아무 까닭이나 실속이 없게. ⑩ 동생이 잘못했는데 괜히 나까지 꾸중을 들었다.

▼ **늑장** 느릿느릿 꾸물거리는 태도. ⑩ 아침에 일찍 일어나기 싫어서 늑장을 부렸다.

▼ **대견한** 흐뭇하고 자랑스러운. ⑩ 열심히 공부하는 학생을 보면 대견한 마음이 든다.

▼ **반찬**|밥 반 飯, 반찬 찬 饌| 밥에 곁들여 먹는 음식. ⑩ 반찬 개수가 많다.

▶ 정답 및 해설 8쪽

1
이해

달걀 도둑을 잡기 위해 어머니가 한 행동은 무엇인지 쓰세요.

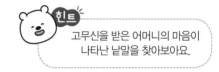

▲ 닭장

> 닭장에 자물쇠를 잠그고 _____
>
> _____

1주
1일

2
이해

막내에 대한 어머니의 마음으로 알맞은 것은 무엇인가요? (   )

① 부럽다.   ② 슬프다.   ③ 화난다.

④ 대견하다.   ⑤ 괘씸하다.

힌트
고무신을 받은 어머니의 마음이
나타난 낱말을 찾아보아요.

3
유추

스스로 독해 해결!

이 이야기에 나타난 당시의 모습과 지금의 모습을 알맞게 비교한 것에 ○표를 하세요.

(1) 그 시절 달걀은 단순한 반찬이 아니었다는 것으로 보아, 당시에는 달걀 반찬을 자주 먹었던 것 같다. 하지만 지금은 달걀 반찬이 귀해서 자주 먹을 수 없다.

(   )

(2) 어머니가 달걀을 이고 장에 가서 청색 겉옷과 체크무늬 윗옷을 사 오셨다는 것으로 보아, 당시에는 달걀을 모아 물건을 살 수 있었고 달걀이 소중했던 것 같다. 하지만 지금은 달걀을 모아 물건을 살 수 없고 달걀이 흔하다. (   )

4
요약

이 이야기의 내용을 정리하여 빈칸에 알맞은 말을 각각 쓰세요.

어머니	막내
달걀 도둑을 잡지 못하고, ❶ ☐☐로 '나'의 옷을 사 오셨다.	달걀을 두 개씩 모아 산 하얀 ❷ ☐☐을 어머니께 드렸다.

↓

달걀 도둑이 ❸ ☐☐라는 것이 밝혀졌고, 그 까닭을 알게 된 어머니께서는 붉어진 눈시울로 미소 지으셨다.

1 다음 낱말의 뜻을 잘 읽고 「사라진 달걀」의 내용에 알맞은 낱말을 골라 ○표를 하세요.

> 잠그고 여닫는 물건을 열지 못하도록 자물쇠를 채우거나 빗장을 걸거나 하고.
>   예 동생이 방문을 잠그고 나갔다.
>
> 잠기고 자물쇠가 채워지거나 빗장이 걸려 여닫는 물건이 열리지 않고.
>   예 바람에 문이 닫히면서 나도 모르게 방문이 잠기고 말았다.

• 어머니는 닭장에 자물쇠를 (잠그고 , 잠기고) 닭장 앞에서 보초를 섰다.

2 다음은 '윗-'과 '웃-'을 써야 하는 경우에 대한 설명입니다. 설명을 잘 읽고 다음 빈칸에 '윗'과 '웃' 중 알맞은 말을 쓰세요.

반대되는 말인 '아랫니'가 있으므로, '윗니'라고 써야 알맞아.

반대되는 말인 '아래 어른'이 없으므로, '웃어른'이라고 써야 알맞아.

윗니(○) / 웃니(×)

윗어른(×) / 웃어른(○)

• 어머니는 ☐☐ 옷으로 저고리를 입으시고
아래옷으로 치마를 입으셨다.

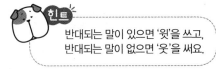

힌트
반대되는 말이 있으면 '윗'을 쓰고,
반대되는 말이 없으면 '웃'을 써요.

3 다음 밑줄 그은 낱말과 뜻이 비슷한 말을 보기 에서 각각 찾아 쓰세요.

> 보기
>
> 앞장   늦장   공연히   섣불리

(1) 괜히 머뭇거리고
= ☐☐☐

(2) 늦장을 부리던 막내
= ☐☐

◎ 「사라진 달걀」의 막내는 달걀을 모아 어머니께 드릴 고무신을 샀어요. 막내가 어머니께 드릴 고무신을 사려면 닭장에서 날마다 2개씩 며칠 동안 달걀을 꺼내 와야 할지 빈칸에 알맞은 숫자를 각각 쓰세요.

'2 × ☐ = 12'이니까 날마다 2개씩 ☐ 일 동안 달걀을 꺼내 오면 달걀 12개를 모을 수 있어요. 이 달걀들로 어머니께 드릴 고무신 한 켤레를 살 수 있지요.

 「사라진 달걀」의 내용을 떠올리며 **달걀을 모으는 데 며칠이 필요한지 곱셈**을 해 봅니다.

뜨거운 냄비 속의 국자도 뜨거울까?

공부한 날   월   일

겪은 일을 떠올리며
글 읽는 방법
자세히 알아보기

천재 학습 백과

겪은 일을 떠올리며 글을 읽자!

겪은 일을 떠올리며 「뜨거운 냄비 속의 국자도 뜨거울까?」를 읽어 보세요.

그러면 글 내용을 더 쉽고 깊이 있게 이해할 수 있답니다.

자신이 본 일, 들은 일, 한 일 중 글의 내용과 관련된 일을 떠올려 보고

겪은 일을 바탕으로 글의 내용을 이해해 보세요.

● 오늘 공부할 글의 그림을 미리 보고, 빈칸에 알맞은 낱말을 보기 에서 각각 찾아 쓰세요.

보기

담가   데고   삶은

❶

불이나 뜨거운 기운으로 말미암아 살이 상하고. 또는 그렇게 하고.

예 뜨거운 냄비에 넣어 둔 쇠 국자의 손잡이를 맨손으로 잡아서 손을 ○○ 말았다.

❷

액체 속에 넣어.

예 쇠숟가락을 설렁탕 국물에 ○○ 두면 국물이 닿지 않은 쇠숟가락의 손잡이까지 뜨거워졌다.

❸

물에 넣고 끓인.

예 ○○ 고구마가 다 익었는지 확인하려고 쇠젓가락으로 찌르고 있으면 손잡이까지 뜨거워졌다.

고체에서의 열의 이동에 대해 더 알아보기

뜨거운 냄비 속의 국자도 뜨거울까?

뜨거운 냄비에 넣어 둔 쇠 국자의 손잡이를 맨손으로 잡아서 손을 데고 말았던 경험이 있니? 또는 설렁탕처럼 뜨거운 음식을 먹을 때 쇠숟가락을 국물에 담가 두면 국물에 닿지 않은 쇠숟가락의 손잡이까지 뜨거워지는 것을 경험해 본 적이 있을 거야. 이것은 설렁탕의 뜨거운 열이 고체인 쇠숟가락을 따라 온도가 높은 곳에서 낮은 곳으로 전달되었기 때문에 일어난 일이야.

앗, 뜨거워! 국자가 뜨거워졌어!

쇠 국자로 뜨거운 국을 뜰 때 자루까지 뜨거워지거나, 삶은 고구마가 다 익었는지 확인하려고 쇠젓가락으로 찌르고 있으면 손잡이까지 뜨거워지는 것도 열이 전달되었기 때문이야. 이처럼 주로 고체에서 열이 물질을 따라 온도가 높은 곳에서 낮은 곳으로 전달되는 현상을 '전도'라고 해.

하지만 모든 고체에 열이 잘 전달되는 것은 아니야. 구리, 쇠, 은 등의 금속은 열이 잘 전달되지만 유리, 플라스틱, 나무 등의 물질은 열이 잘 전달되지 않거든.

주전자, 압력 밥솥, ㉠ 등의 밑바닥은 열이 잘 전달되는 금속 물질로 만들어. 반대로 냄비나 주전자의 손잡이 등은 열이 잘 전달되지 않는 플라스틱이나 나무 등의 물질로 만들지.

어휘 풀이

▾ **데고**　불이나 뜨거운 기운으로 말미암아 살이 상하고. 또는 그렇게 하고.
　　㉾ 끓는 물을 엎는 바람에 발을 데고 말았다.

▾ **담가**　액체 속에 넣어. ㉾ 계곡물에 수박을 담가 두었다.

▾ **고체**|굳을 고 固, 몸 체 體| 일정한 모양과 부피가 있으며 쉽게 모양이나 형태가 바뀌지 않는 물질의 상태.
　　㉾ 나무, 돌, 쇠 따위를 고체라고 한다.

▾ **삶은**　물에 넣고 끓인. ㉾ 삶은 달걀을 맛있게 먹었다.

1
이해

이 글과 관련된 겪은 일을 알맞게 떠올린 친구를 찾아 이름에 ○표를 하세요.

설렁탕을 먹을 때 뜨거운 국물에 담가 둔 쇠숟가락이 손잡이까지 뜨거워져서 깜짝 놀랐던 적이 있어.

진호

소풍을 가서 열기구를 탄 적이 있는데, 불을 붙이니까 하늘로 떠올라서 신기했어.

세아

2
이해

서술형

'전도'는 어떤 현상을 말하는지 찾아 쓰세요.

주로 고체에서 열이 물질을 따라 _____

_____ 현상을 말한다.

3
유추

⊙ 안에 들어갈 수 있는 물건으로 알맞은 것에 ○표를 하세요.

(1)
나무 도마
(   )

(2)
다리미
(   )

힌트
밑바닥이 금속으로 이루어진 물건을 찾아야 해요.

4
요약

이 글의 내용을 정리하여 빈칸에 알맞은 말을 각각 쓰세요.

• 뜨거운 냄비에 넣어 둔 쇠 국자의 손잡이를 맨손으로 잡으면 델 수 있다.

• 뜨거운 국물에 담가 둔 쇠숟가락이 ❶ [   ][   ][   ] 까지 뜨거워진다.

• 삶은 고구마를 ❷ [   ][   ][   ][   ] 으로 찌르고 있으면 손잡이까지 뜨거워진다.

↓

구리, 쇠, 은 등의 ❸ [   ][   ] 은 열이 잘 전달된다.

1 다음 보기 를 보고 '맨–'이 들어간 낱말을 더 알아보려고 해요. 낱말의 뜻을 살펴보며 빈칸에 알맞은 말을 각각 쓰세요.

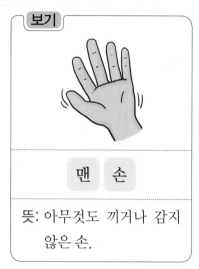

보기

맨 손

뜻: 아무것도 끼거나 감지 않은 손.

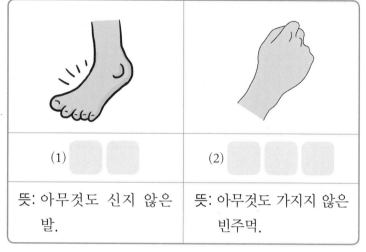

(1) ☐ ☐

뜻: 아무것도 신지 않은 발.

(2) ☐ ☐ ☐

뜻: 아무것도 가지지 않은 빈주먹.

힌트
'맨–'은 '다른 것이 없는'의 뜻을 더하는 말이에요.

2 다음 문장에서 맞춤법에 알맞은 말을 찾아 ○표를 하세요.

• 국물에 숟가락을 (담그다 , 담구다).

3 「뜨거운 냄비 속의 국자도 뜨거울까?」에 나오는 낱말들을 낱말 사이의 관계에 맞게 정리하려고 해요. 다음 빈칸에 들어갈 낱말을 보기 에서 각각 찾아 쓰세요.

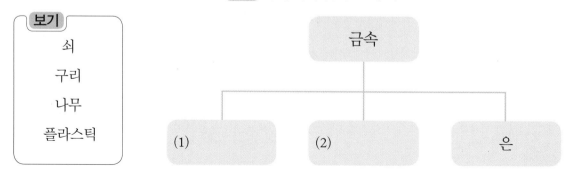

보기
쇠
구리
나무
플라스틱

금속

(1)   (2)   은

● 친구들이 요리 교실에 와서 음식을 만들고 있어요. 그런데 어떤 도구를 사용해야 할지 고민하고 있네요. 친구들의 상황에 알맞은 도구를 찾아 선으로 각각 이으세요.

 「뜨거운 냄비 속의 국자도 뜨거울까?」의 내용을 생각하며 **열이 잘 전달되는 물질과 열이 잘 전달되지 않는 물질을 구분해** 봅니다.

달

공부한 날   월   일

시에서 빗대어 표현한 까닭을 알아보자!

동시 「달」은 달을 문에 빗대어 표현한 시예요.

빗대어 표현할 때에는 표현하려고 하는 두 대상 사이에

비슷한 점이 있어야 해요. 두 대상의 어떤 점이 비슷한지 생각하며

빗대어 표현한 까닭을 알아보세요.

● 오늘 공부할 글의 그림을 미리 보고, 빈칸에 알맞은 낱말을 각각 찾아 쓰세요.

| 우주 | 보름 | 여름 | 바다 |

달이 ❶ [ ][ ] 로 나가는 문이래요. 이 문을 활짝 여는 데도, 꼭 닫는 데도 각각
→ 태양, 지구, 달 등 천체를 포함하는 공간.

❷ [ ][ ] 이 걸린대요. 우주가 얼마나 큰 걸까요?
→ 열닷새 동안.

동시 「달」
듣기

달

김미라

스스로 독해

이 시에서 달을 문에 빗대어 표현한 까닭은 무엇일까요? 점선 부분을 따라 선을 그으며 읽어 보고 빗대어 표현한 까닭을 생각해 보세요.

우주로 나가는
동그란 문.

활짝!
여는 데
보름 걸리고

꼭!
닫는 데
보름 걸리고.

㉠우주,
얼마나 크기에?

어휘 풀이

▼ **우주** | 집 우 宇, 집 주 宙 | 태양, 지구, 달 등 천체를 포함하는 공간.
　예 우주로 가는 비행선이 출발하였다.

▼ **나가는** 　어떤 지역이나 공간의 안에서 밖으로 이동하는. 예 이 문이 나가는 문이다.

▼ **여는** 　닫히거나 잠긴 것을 트거나 벗기는. 예 잠긴 서랍을 여는 데 열쇠가 필요하다.

▼ **보름** 　열닷새 동안. 예 보름 동안 비가 내려서 강물이 넘쳤다.

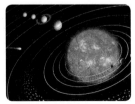

▲ 우주

1
이해

서술형

이 시에서 달을 어떤 문에 빗대어 표현하였는지 쓰세요.

> 달을 우주로 ＿＿＿＿＿＿＿＿＿＿＿＿＿＿ 문에 빗대어 표현하였다.

2
유추

스스로 독해 해결!

이 시에서 달을 문에 빗대어 표현한 까닭을 알맞게 짐작한 친구를 찾아 이름에 ○표를 하세요.

달은 우리 집 방문처럼 항상 네모나게 보여서 그렇게 표현했을 거야.

석현

달이 동그랗게 보이면 문이 열리는 것 같고, 눈썹처럼 보이면 문이 닫히는 것 같아서 그렇게 표현했을 거야.

예림

힌트

우리에게 보이는 달의 모양과 문이 열리고 닫히는 모습에 어떤 비슷한 점이 있는지 생각해 보아요.

3
유추

㉠에 담긴 마음으로 알맞은 것은 무엇일까요? (　　　　)

① 우주에 가지 못해 실망한 마음

② 우주가 얼마나 클지 궁금한 마음

③ 우주를 직접 보게 되어 기쁜 마음

④ 우주에 사는 생물을 만나고 싶은 마음

⑤ 우주가 어디에 있는지 몰라서 어리둥절한 마음

4
요약

이 시의 내용을 정리하여 빈칸에 알맞은 말을 각각 쓰세요.

> 달은 우주로 나가는 동그란 ❶ 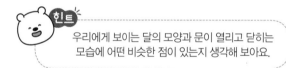 인 것 같다. 이 문을 활짝 여는 데 ❷ ＿＿＿ 걸리고, 꼭 닫는 데 보름 걸린다. ❸ ＿＿＿ 가 얼마나 큰 걸까?

1 「달」에 나오는 '보름'은 며칠 동안을 말하는 걸까요? 다음 설명을 잘 보고, 빈칸에 알맞은 숫자를 쓰세요.

| 닷새 | 5일 | 열닷새 | 15일 | 스물닷새 | 25일 |

낱말	낱말의 뜻
보름	열닷새 동안. = [ ]일 동안.

2 다음 밑줄 그은 낱말과 뜻이 반대인 말을 보기 에서 각각 찾아 쓰세요.

보기
> 닫는   잡는   들어오는   불어오는

(1) 우주로 <u>나가는</u> / 동그란 문.

↔ [   ][   ][   ][   ]

(2) 활짝! / <u>여는</u> 데 / 보름 걸리고

↔ [   ][   ]

3 「달」에 나오는 다음 문장에서 밑줄 그은 낱말과 같은 뜻으로 쓰인 낱말을 골라 ○표를 하세요.

꼭!
닫는 데
보름 <u>걸리고</u>.

(1) 추운 날 운동을 해서 감기에 <u>걸리고</u> 말았다.
↳ (   )

(2) 운동 준비를 하는 데 30분이나 <u>걸리고</u> 말았다.
↳ (   )

 힌트
'걸리다'에는 '병이 들다.'와 '시간이 들다.' 등의 뜻이 있어요.

똑똑한
하루 독해 게임
재미있는 독해 게임으로 독해력 쑥쑥

▶ 정답 및 해설 10쪽

● 「달」을 읽고 나니 달에 대해 더 알아보고 싶지 않나요? 다음 만화를 잘 읽고, 달과 관련된 재미있는 현상인 일식은 무엇인지 알맞은 낱말을 각각 찾아 쓰세요.

 일식은 □□이 □□을 가리는 현상이에요.

 「달」의 내용을 생각하며 **일식은 어떤 현상**인지 만화를 통해 알아봅니다.

궁궐에서 즐기던 놀이

공부한 날   월   일

훑어 읽는 방법
자세히 알아보기

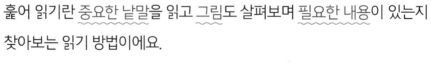

글을 훑어 읽는 방법을 알아보자!

훑어 읽기란 중요한 낱말을 읽고 그림도 살펴보며 필요한 내용이 있는지
찾아보는 읽기 방법이에요.
글에 필요한 내용이 있는지 확인하며 「궁궐에서 즐기던 놀이」를
훑어 읽어 보세요.

● 오늘 공부할 글과 그림을 미리 보고, 알맞은 낱말을 각각 찾아 표시하세요.

격구

마상재

또 세종 대왕 때에는 격구가 무과 시험 과목으로 채택이 되기도 했대요.
마상재는 무술을 배우는 젊은이들이 말 위에서 여러 가지 재주를 부리는 놀이예요.

1 '작품, 의견, 제도 따위를 골라서 다루거나 뽑아 씀.'이라는 뜻의 낱말을 찾아 ○표를 하세요.

2 '무기 쓰기, 주먹질, 발길질, 말달리기 따위의 무도에 관한 기술.'이라는 뜻의 낱말을 찾아 △표를 하세요.

3 '무엇을 잘할 수 있는 타고난 능력과 슬기.'라는 뜻의 낱말을 찾아 □표를 하세요.

궁궐에서
즐기던 놀이
더 알아보기

궁궐에서 즐기던 놀이

스스로 독해

필요한 내용이 있는지 확인하려고 이 글을 훑어 읽었어요. 점선 부분을 따라 선을 그으며 읽고 어떤 내용을 알고 싶을 때 읽으면 좋을지 생각해 보세요.

　　왕과 신하들은 나라 ㉠내외의 수많은 일들을 돌보느라 늘 머리를 맞대고 의논해요. 그러다 보면 무척이나 골치를 앓고 힘들었어요. 그래서 왕과 신하들도 머리를 식히고, 몸과 마음을 건강하게 지켜 나가기 위해서 놀이를 즐겼어요. 궁궐에서는 주로 격구, 마상재 등의 놀이를 했어요.

　　격구는 두 편으로 나뉘어 말을 타고 달리면서 하는 놀이예요. 숟가락처럼 생긴 채로 공을 쳐서 상대방 골문에 넣으면 되는데, 공은 나무를 깎아서 만들었어요. 실제로 조선의 첫 임금인 태조는 격구를 아주 잘했다고 해요. 또 세종 대왕 때에는 격구가 무과 시험 과목으로 채택이 되기도 했대요.

　　마상재는 무술을 배우는 젊은이들이 말 위에서 여러 가지 재주를 부리는 놀이예요. 말 위에 우뚝 서서 달리기, 거꾸로 서서 달리기, 옆에 매달려 달리기 등의 재주를 부리지요.

어휘 풀이

▼ **무과**|굳셀 무 武, 품등 과 科| 고려·조선 시대에, 군사 일을 맡아보는 관리를 뽑을 때 실시하던 시험.
　　⑩ 이순신 장군은 32세에 무과에 합격하였다.

▼ **채택**|캘 채 採, 가릴 택 擇| 작품, 의견, 제도 따위를 골라서 다루거나 뽑아 씀.
　　⑩ 이번 주에 학급에서 지켜야 할 규칙을 채택하였다.

▼ **무술**|굳셀 무 武, 꾀 술 術| 무기 쓰기, 주먹질, 발길질, 말달리기 따위의 무도에 관한 기술.
　　⑩ 무술 실력이 가장 뛰어난 사람을 장군으로 삼았다.

▼ **재주** 무엇을 잘할 수 있는 타고난 능력과 슬기. ⑩ 그 사람은 말을 타는 재주가 뛰어나다.

1
어휘
㉠과 바꾸어 써도 문장의 뜻이 바뀌지 않는 낱말로 알맞은 것은 무엇인가요? (   )

① 내부   ② 외부   ③ 안쪽
④ 안팎   ⑤ 바깥

힌트
'내외'는 안과 밖을 아울러 이르는 말이에요.

2
이해

서술형

왕과 신하들이 궁궐에서 놀이를 즐긴 까닭은 무엇인지 쓰세요.

> 머리를 식히고, _____
> 위해서이다.

3
이해

스스로 독해 해결!

이 글을 알맞게 훑어 읽은 친구를 찾아 이름에 ○표를 하세요.

궁궐에서 하던 '격구'에 대한 정보가 있는지 확인하려고 이 글을 훑어 읽었는데, 원하는 정보를 첫 번째, 두 번째 문단과 그림에서 찾을 수 있었어.

소유

궁궐에서 왕이 살던 '전각'에 대한 정보가 있는지 확인하려고 이 글을 훑어 읽었는데, 마지막 문단에서 원하는 정보를 찾을 수 있었어.

재훈

4
요약

이 글의 내용을 정리하여 빈칸에 알맞은 말을 각각 쓰세요.

❶ _____ 에서 즐기던 놀이

❷ ____	마상재
두 편으로 나뉘어 말을 타고 달리면서 채로 공을 쳐서 상대방 골문에 넣는 놀이	❸ ____ 위에서 여러 가지 재주를 부리는 놀이

1 다음 밑줄 그은 관용 표현의 뜻으로 알맞은 것을 선으로 각각 이으세요.

(1) 늘 머리를 맞대고 의논해요.   ·

(2) 무척이나 골치를 앓고 힘들었어요.   ·

(3) 머리를 식히고, 몸과 마음을 건강하게 지켜 나가기 위해서 놀이를 즐겼어요.   ·

· ① 흥분되거나 긴장된 마음을 가라앉히고.

· ② 어떤 일을 의논하거나 결정하기 위하여 서로 마주 대하고.

· ③ 어떻게 하여야 할지 몰라서 머리가 아플 정도로 생각에 몰두하고.

힌트
관용 표현은 둘 이상의 낱말이 합쳐져 그 낱말의 원래 뜻과는 다른 새로운 뜻으로 굳어져 쓰이는 표현을 말해요.

2 다음 문장에서 밑줄 그은 낱말과 같은 뜻으로 쓰인 낱말을 골라 ○표를 하세요.

격구는 두 편으로 나뉘어 말을 타고 달리면서 하는 놀이예요.

(1) 마당에 쌓아 둔 장작이 타고 있었다.
( )

(2) 한 연주자가 가야금을 타고 있었다.
( )

(3) 많은 여행자들이 낙타를 타고 지나갔다.
( )

힌트
'탈것이나 짐승의 등 따위에 몸을 얹고.'라는 뜻으로 쓰인 '타고'를 찾아보세요.

1주
4일

● 「궁궐에서 즐기던 놀이」에서 '격구'와 '마상재'에 대하여 알아보았어요. 놀이에 필요한 도구를 보고 사다리 타기를 하여 궁궐에서 하던 놀이에 대해 더 알아보아요.

 「궁궐에서 즐기던 놀이」의 내용을 생각하며 **궁궐에서 하던 놀이**를 더 알아봅니다.

운동 습관 점검표

복잡한 자료를 알기 쉽게 정리해 보자!

「운동 습관 점검표」는 평소 자신의 운동 습관을 점검하기 위한 질문과

그에 대한 답변이 적혀 있는 자료예요.

이 자료를 효과적으로 이해하려면 질문과 답변의 내용을 파악한 뒤

중요한 내용만 간단히 정리해 보세요.

◉ 오늘 공부할 글과 그림을 미리 보고, 알맞은 낱말을 각각 찾아 표시하세요.

운동 실천 계획을 세우려면 먼저 평소 자신의 운동 습관이 어떠하였는지 점검을 해야 합니다. 질문을 보고 알맞은 대답에 V 표시를 하세요.

1 '생각한 바를 실제로 행함.'이라는 뜻의 낱말을 찾아 ○표를 하세요.

2 '앞으로 할 일의 절차, 방법, 규모 따위를 미리 헤아려 작정함. 또는 그 내용.'이라는 뜻의 낱말을 찾아 △표를 하세요.

3 '낱낱이 검사함. 또는 그런 검사.'라는 뜻의 낱말을 찾아 □표를 하세요.

운동 실천 계획
세우기에 대하여
알아보기

스스로 독해

이 점검표를 작성한 민지는 질문에 어떤 대답을 했을까요? ( ) 속 내용을 색칠하며 정리해 보세요.

운동 습관 점검표

운동 실천 계획을 세우려면 먼저 평소 자신의 운동 습관이 어떠하였는지 점검을 해야 합니다. 질문을 보고 알맞은 대답에 ∨ 표시를 하세요.

이름	김민지	나이	(12)세	성별	☐ 남 ☑ 여

질문 내용	대답 내용
1. 일주일에 몇 회 정도 운동을 하나요?	☑ 0~1회 ☐ 2~3회 ☐ 4~5회 ☐ 6회 이상
2. 1회에 운동을 어느 정도 하나요?	☐ 안 한다. ☑ 10분 미만 ☐ 10분~30분 ☐ 30분 초과
3. 주로 어떤 운동을 하나요?	☐ 안 한다. ☐ 수영 ☑ 달리기 ☐ 줄넘기 ☐ 기타: ( )
4. 누구와 함께 운동을 하나요?	☐ 안 한다. ☑ 혼자 ☐ 친구 ☐ 가족

운동은 일주일에 3회 이상, 1회당 30분 이상 주변 사람과 함께 규칙적으로 하는 것이 좋아요. 앞으로 어떻게 운동할지 계획을 세워 보세요.

앞으로의 계획

앞으로 일주일에 ㉠삼회 이상, 1회당 ㉡삼십 분 동안 운동을 하고, 달리기보다는 줄넘기를 하겠습니다. 혼자 하지 않고 친구와 함께 꾸준히 운동을 하겠습니다.

어휘 풀이

▼ **실천**|열매 실 實, 밟을 천 踐| 생각한 바를 실제로 행함. ㉔ 다짐한 일은 실천에 옮겨야 한다.

▼ **계획**|꾀할 계 計, 새길 획 劃| 앞으로 할 일의 절차, 방법, 규모 따위를 미리 헤아려 작정함. 또는 그 내용.
   ㉔ 일 년 동안의 독서 계획을 세웠다.

▼ **점검**|점찍을 점 點, 검사할 검 檢| 낱낱이 검사함. 또는 그런 검사. ㉔ 놀이 기구가 안전하게 운행하는지 점검을 하였다.

▶ 정답 및 해설 12쪽

서술형

1 운동 실천 계획을 세우기 전에 먼저 해야 할 일은 무엇인지 쓰세요.
이해

평소 _____ 점검을 해야 한다.

2 이 점검표에서 질문한 내용이 <u>아닌</u> 것은 무엇인가요? (   )
이해

① 운동을 하는 까닭   ② 1회에 운동하는 시간

③ 주로 하는 운동의 종류   ④ 함께 운동을 하는 사람

⑤ 일주일에 운동하는 횟수

3 ㉠과 ㉡ 중 바르게 띄어 쓴 것을 골라 ○표를 하세요.
문법

(1) ㉠ | 삼 | 회 | (   )

(2) ㉡ | 삼 | 십 | 분 | (   )

> **힌트**
> '회'와 '분'과 같이 무엇을 세는 말은 기본적으로 앞말과 띄어 써야 해요. 단, '12세'처럼 앞에 숫자가 올 때에는 붙여 쓸 수 있어요.

스스로 독해 해결!

4 이 점검표의 내용을 알기 쉽게 정리하여 빈칸에 알맞은 말을 각각 쓰세요.
요약

점검한 내용

12살 여자아이 김민지는 일주일에 0~1회 정도, 1회당 10분

❶ [   ][   ] 으로 ❷ [   ][   ] 를 혼자 한다.

↓

앞으로의 계획

앞으로 일주일에 3회 이상, 1회당 30분 동안 친구와 함께

❸ [   ][   ] 를 꾸준히 하겠다.

똑똑한
하루 독해 어휘

기초 집중 연습으로 어휘력 튼튼

▶ 정답 및 해설 12쪽

1 다음 설명을 잘 읽고 「운동 습관 점검표」의 내용에 알맞은 낱말을 찾아 ○표를 하세요.

세워	새워
계획, 방안 따위를 정하거나 짜.	한숨도 자지 않고 밤을 지내어.
㉶ 한 달 동안 용돈을 어떻게 써야 할지 예산을 세워 보았다.	㉶ 내일이 시험이라서 밤을 새워 열심히 공부하였다.

• 앞으로 어떻게 운동할지 계획을 (세워 , 새워) 보세요.

2 다음 낱말과 뜻이 반대인 말을 보기 에서 각각 찾아 쓰세요.

보기

감소   미만   이상   증가

(1) 이하 ↔ ☐ ☐

(2) 초과 ↔ ☐ ☐

힌트
'이하'는 '수량이나 정도가 일정한 기준보다 더 적거나 모자람.'이라는 뜻이고, '초과'는 '일정한 수나 한도 따위를 넘음.'이라는 뜻이에요.

3 「운동 습관 점검표」에 나오는 낱말들을 낱말 사이의 관계에 맞게 정리하려고 해요. 빈칸에 들어갈 낱말을 보기 에서 각각 찾아 쓰세요.

보기
가족
수영
운동
친구

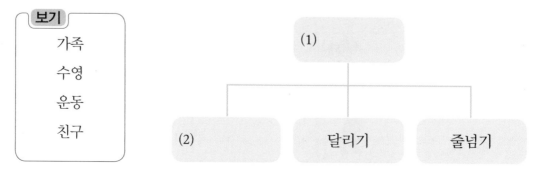

(1) ☐

(2) ☐   달리기   줄넘기

● 「운동 습관 점검표」에서 12살 여자아이인 민지는 어떤 운동 계획을 세웠나요? 민지가 세운 계획을 생각하며 다음 그림에서 민지는 누구인지 찾아 ○표를 하세요.

 「운동 습관 점검표」에서 대답한 내용을 생각하며 그림 속에서 **조건에 맞는 인물**을 찾아봅니다.

[1~3] 다음 글을 읽고, 물음에 답하세요.

달걀 도둑은 ㉠졸업식 날 아침에 밝혀졌습니다. 괜히 머뭇거리고 늑장을 부리던 막내가 어머니 앞에 내민 것은 하얀 ㉡고무신 한 켤레였습니다.

"이거, 엄마 고무신…… 달걀 두 개……."

동생은 말을 잇지 못하였습니다. 내 눈에 그제야 어머니의 붉어진 ㉢눈시울과 낡고 빛바랜 고무신 코가 들어왔습니다.

"그랬구나. 우리 착한 막내……."

어머니는 ㉣ 마음에 막내를 보며 미소 지었습니다.

1 ㉠~㉢ 중 시간을 나타내는 말을 골라 기호를 쓰세요.

( )

2 막내가 달걀을 가져간 까닭으로 알맞은 것에 ○표를 하세요.

(1) 달걀 반찬이 먹고 싶어서 ( )
(2) 어머니의 고무신을 사려고 ( )
(3) 졸업식에 입고 갈 옷을 사려고 ( )

3 ㉣ 안에 들어갈, 막내에 대한 어머니의 마음으로 알맞은 것은 무엇인가요? ( )

① 미운 ② 서운한
③ 대견한 ④ 괘씸한
⑤ 실망한

[4~5] 다음 글을 읽고, 물음에 답하세요.

쇠 국자로 뜨거운 국을 뜰 때 자루까지 뜨거워지거나, 삶은 고구마가 다 익었는지 확인하려고 쇠젓가락으로 찌  르고 있으면 손잡이까지 뜨거워지는 것도 열이 전달되었기 때문이야. 이처럼 주로 고체에서 열이 물질을 따라 온도가 높은 곳에서 낮은 곳으로 전달되는 현상을 '전도'라고 해.

하지만 모든 고체에 열이 잘 전달되는 것은 아니야. 구리, 쇠, 은 등의 ㉠ 은 열이 잘 전달되지만 유리, 플라스틱, 나무 등의 물질은 열이 잘 전달되지 않거든.

4 이 글의 내용으로 알맞은 것을 골라 ○표를 하세요.

(1) 열은 모든 고체에서 잘 전달된다.

( )

(2) 쇠 국자로 뜨거운 국을 뜨면 자루까지 뜨거워진다. ( )

(3) 고체에서 열은 온도가 낮은 곳에서 높은 곳으로 전달된다. ( )

5 ㉠ 안에 들어갈 알맞은 말은 무엇인가요?

( )

① 병 ② 금속
③ 고무 ④ 비닐
⑤ 종이

점수

▶ 정답 및 해설 12쪽

[6~7] 다음 시를 읽고, 물음에 답하세요.

달

㉠우주로 나가는
동그란 문.

활짝!
여는 데
㉡보름 걸리고

꼭!
닫는 데
보름 걸리고.

우주,
얼마나 크기에?

6 ㉠은 무엇을 빗대어 표현한 것인지 이 글에서 찾아 쓰세요.

(   )

7 ㉡과 뜻이 비슷한 말을 두 가지 고르세요.

(   )

① 5일 동안
② 25일 동안
③ 15일 동안
④ 열닷새 동안
⑤ 스물닷새 동안

[8~9] 다음 글을 읽고, 물음에 답하세요.

(가) 격구는 두 편으로 나뉘어 말을 타고 달리면서 하는 놀이예요. 숟가락처럼 생긴 채로 공을 쳐서 상대방 골문에 넣으면 되는데, 공은 나무를 깎아서 만들었어요. 실제로 조선의 첫 임금인 태조는 격구를 아주 잘했다고 해요. 또 세종 대왕 때에는 격구가 무과 시험 과목으로 채택이 되기도 했대요.

(나) 마상재는 무술을 배우는 젊은이들이 말 위에서 여러 가지 재주를 부리는 놀이예요. 말 위에 우뚝 서서 달리기, 거꾸로 서서 달리기, 옆에 매달려 달리기 등의 재주를 부리지요.

8 글 (가)와 (나) 중, 진주가 원하는 정보를 얻기 위해 훑어 읽어야 할 글은 무엇인지 기호를 쓰세요.

진주: 말 위에서 여러 가지 재주를 부리는 놀이에 대해 알고 싶어.

글 (   )

9 격구와 마상재를 할 때 공통으로 필요한 것은 무엇인가요? (   )

① 공   ② 채   ③ 말
④ 화살   ⑤ 바둑판

10 다음 밑줄 그은 낱말과 뜻이 반대인 낱말은 무엇인가요? (   )

앞으로 일주일에 삼 회 이상, 1회당 삼십 분 동안 운동을 하겠습니다.

① 미만   ② 증가   ③ 감소
④ 초과   ⑤ 이하

창의

1 다음 만화를 읽고, 1주차에서 배운 낱말을 떠올려 어휘 퀴즈에 알맞은 낱말을 빈칸에 각각 쓰세요.

🐻 어휘 퀴즈

❶ '느릿느릿 꾸물거리는 태도.'를 뜻하는 말은? →

❷ '낱낱이 검사함. 또는 그런 검사.'를 뜻하는 말은? →

❸ '○○ 밤을 물에 넣어 식혔다.'의 빈칸에 들어갈 알맞은 말은? →

융합

2 「사라진 달걀」에서 달걀 1개의 무게가 다음과 같을 때, 막내가 시장에 내다 판 달걀의 무게는 모두 합하여 몇 그램인지 숫자로 쓰세요.

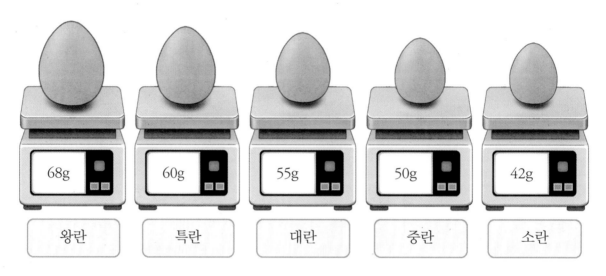

68g	60g	55g	50g	42g
왕란	특란	대란	중란	소란

막내가 시장에 내다 판 달걀의 무게는 모두 합하여 [ ] 그램이에요.

코딩

3 「뜨거운 냄비 속의 국자도 뜨거울까?」를 읽고, 보라가 집 안에서 금속으로 만든 물체를 찾으려고 해요.
보라가 금속으로 만든 물체를 모두 지나 도착 지점까지 갈 수 있도록 코딩 카드에 알맞은 숫자를 쓰세요.

금속으로 만든 물건   못, 포크, 동전, 열쇠, 숟가락, 금반지

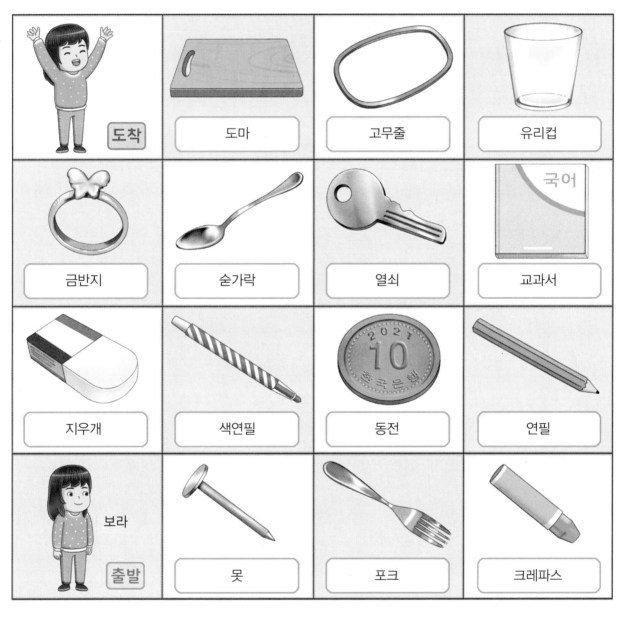

도착	도마	고무줄	유리컵
금반지	숟가락	열쇠	교과서
지우개	색연필	동전	연필
보라 출발	못	포크	크레파스

❶ 오른쪽으로
2 칸 간다.
→

❷ 위쪽으로
칸 간다.
↑

❸ 왼쪽으로
2 칸 간다.
←

❹ 위쪽으로
칸 간다.
↑

교통 카드 충전기를 보고 알맞은 낱말에 각각 ◯표를 하세요.

교통 카드를 충전해 보자.

교통 카드 ▽충전

1. 교통 카드를 충전 하는 곳에 올려놓 습니다.
2. 충전▽금액을 선택 한 후 확인 버튼 을 누릅니다.
3. 해당 금액을▽투입 한 후 확인 버튼 을 누릅니다.
4. 교통 카드와▽거스 름돈을 가져가십 시오.

교통 카드를 충전하는 순서를 잘 보고 그대로 따라 하면 돼.

　애들아! 교통 카드를 사용하려면 교통 카드 충전기에서 교통 카드에 돈을 (1) (채워서 , 뽑아서) 사용해야 해. 필요한 돈이 얼마인지 확인하고 충 전할 돈의 (2) (액수 , 횟수)를 선택해. 그다음에 선택한 만큼의 돈을 (3) (넣으면 , 빌리면) 돼.

어휘 풀이

▽**충전**|가득할 충 充, 메울 전 塡| 　교통 카드 따위의 결제 수단을 사용할 수 있게 돈이나 그것에 해당하는 것을 채움.
　　예 지하철을 타기 위해 교통 카드에 만 원을 충전하였다.
▽**금액**|쇠 금 金, 이마 액 額| 　돈의 액수. 예 내가 용돈으로 받은 금액은 오천 원이다.
▽**투입**|던질 투 投, 들 입 入| 　던져 넣음. 예 자판기에 동전을 투입하였다.
▽**거스름돈** 　치러야 할 돈을 빼고 도로 주거나 받는 돈.
　　예 구천 원짜리 물건을 사고 만 원을 냈더니 거스름돈으로 천 원을 받았다.

창의
5
생활 한자

步(걸음 보) 자에 대해 알아보고, 다음 물음에 답하세요.

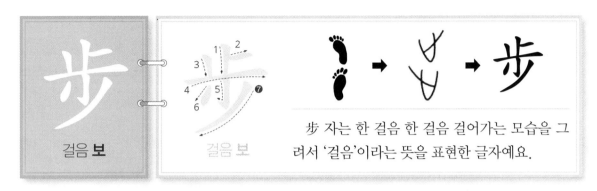

걸음 **보**

걸음 **보**

步 자는 한 걸음 한 걸음 걸어가는 모습을 그려서 '걸음'이라는 뜻을 표현한 글자예요.

(1) 步 자가 들어간 낱말을 알아보고, 한자의 음을 쓰세요.

① 내 동생은 나보다 步幅이 좁아서 항상 내 뒤에서 걷는다.

폭

> **힌트**
> 14쪽에서 공부한 '보초'에 쓰인 步(걸음 보) 자에 대해 알아봐요.

② 공사 때문에 길이 막혀 步行에 불편을 겪었다.

행

(2) 한자 성어의 뜻을 알아보고, 빈칸에 알맞은 한자를 쓰세요.

내가 너보다 한발 더 빨라.

아니야. 내가 더 빨라.

五十步百步
다섯 **오**   열 **십**   걸음 **보**   일백 **백**   걸음 **보**

전쟁에 져서 백 보를 도망간 사람과 오십 보를 도망간 사람처럼 본질적으로는 차이가 없음을 이르는 말.

• 끝에서 달리는 두 친구의 달리기 실력은 五 十   百   (오십보백보)이다.

2주 2주에는 무엇을 공부할까? ❶

1-1 다음 문장에 넣을 바른 낱말을 골라 ○표를 하세요.

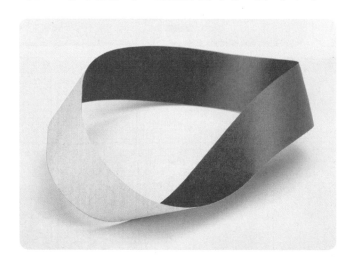

(기다랗게 , 길다랗게) 자른 종이의 한쪽 끝을 다른 쪽에 붙이되, 종이를 180도 비틀어서 붙이면 뫼비우스의 띠가 만들어집니다.

1-2 다음 밑줄 그은 말이 바르게 쓰인 문장을 골라 ○표를 하세요.

(1) 나뭇가지가 <u>길다랗게</u> 뻗어 있다. (　　　)

(2) 동생은 목을 <u>기다랗게</u> 빼고 친구를 기다렸다. (　　　)

힌트
'기다랗게'는 '매우 길거나 생각보다 길게.'라는 뜻의 낱말이에요. '길다랗게'는 잘못된 표현이에요.

▶ 정답 및 해설 14쪽

2-1 ㉠~㉢ 중 '잠을 자는.'이라는 뜻의 관용어를 찾아 기호를 쓰세요.

산타: ㉠하늘을 지붕 삼고 별들을 가족 삼고 ㉡풀벌레와 친구 하며 ㉢눈을 붙이는 곳이 집이어서 그렇습니다.

(   )

2-2 다음 친구가 쓴 문장 에서 밑줄 그은 말과 바꾸어 쓸 수 있는 관용어를 골라 ○표를 하세요.

친구가 쓴 문장
나는 밤새도록 뒤척이다가 새벽녘에 겨우 <u>잠을 잤다</u>.

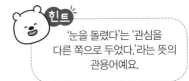
힌트
'눈을 돌렸다'는 '관심을 다른 쪽으로 두었다.'라는 뜻의 관용어예요.

눈을 돌렸다   눈을 붙였다

톰 소여의 모험

공부한 날   월   일

인물의 의도를
파악하는 방법
자세히 알아보기

천재 학습 백과

인물의 의도를 파악하라!

「톰 소여의 모험」에서 주인공 톰이 한 말에는 어떤 의도가 담겨 있을까요?

글에서 일어난 일, 인물의 말이나 행동을 통해 인물의 마음이나 인물의 성격을

파악하면 인물이 그렇게 말한 의도를 파악할 수 있어요.

● 오늘 공부할 글의 그림을 미리 보고, 빈칸에 알맞은 낱말을 각각 찾아 쓰세요.

울타리   근사한   한숨   들숨

친구들과 어울려 모험하기 좋아하는 톰 소여는 동네의 못 말리는 개구쟁이이지요.

오늘도 톰은 잼을 몰래 훔쳐 먹었다가 ❶ ☐☐☐ 를 페인트칠하라는 벌을 받았
↳담 대신에 경계를 지어 막는 물건.

어요. ❷ ☐☐ 을 쉬던 톰의 머릿속에 ❸ ☐☐☐ 생각이 떠올랐어요.
↳길게 몰아서 내쉬는 숨.   ↳그럴듯하게 괜찮은.

그리고 얼마 뒤, 톰의 친구들이 울타리에 페인트칠을 하고 있는 게 아니겠어요? 그것

도 아주 신이 나서요. 이게 어떻게 된 일일까요?

「톰 소여의 모험」과 미국의 명작들에 대해 알아보기

톰 소여의 모험

마크 트웨인

스스로 독해

톰은 왜 페인트칠이 즐거운 놀이라고 했을까요? 점선 부분을 따라 선을 그으며 읽어 보고 인물의 의도를 파악해 보아요.

톰은 잼을 몰래 훔쳐 먹은 벌로 울타리를 페인트칠하게 되었다.

"휴, 화창한 토요일 아침부터 이게 뭐람?"

톰은 길기만 한 울타리 앞에서 한숨을 푹 내쉬었다. 페인트칠을 하고 있는 자신을 보며 놀려 댈 친구들을 생각하니 속이 상했다. 하지만 이내 톰의 머릿속에 근사한 생각이 떠올랐다. 친구들에게 페인트칠이 얼마나 즐겁고 신나는 일인지 보여 주기로 한 것이다.

톰이 페인트칠을 하기 ㉠시작한 지 얼마 되지 않아 벤 로저스가 다가왔다.

"톰, 일하고 있니?"

"일이라니? 이게 얼마나 즐거운 놀이인데."

톰은 박자를 맞추듯 노래를 부르며 칠을 해 댔다. 처음에는 미심쩍어하던 벤도 점차 흥미를 보이기 시작했다.

"내가 좀 칠해 줄까?"

"안 돼. 아무나 할 수 있는 일이 아니야!"

"이 사과 줄게. 한 번만 해 보자."

"좋아. 그렇게까지 사정한다면……"

톰은 못마땅한 척하며 페인트 붓을 벤에게 건네주었다. 벤이 지쳐 갈 무렵에는 또 다른 아이들이 나타났고, 앞다투어 자신의 소중한 물건을 톰에게 주고, 페인트 붓을 건네받았다. 덕분에 톰은 한가하게 놀면서 일을 끝마칠 수 있었다.

어휘 풀이

▼ **울타리** 풀이나 나무 따위를 얽거나 엮어서 담 대신에 경계를 지어 막는 물건.

▼ **근사**|가까울 근 近, 같을 사 似|**한** 그럴듯하게 괜찮은. 예 경수는 근사한 옷차림으로 나타났다.

▼ **미심**|아닐 미 未, 살필 심 審|**쩍어하던** 분명하지 못하여 마음이 놓이지 않는 데가 있어하던.
예 나를 미심쩍어하던 엄마는 이제야 안심을 하셨다.

▼ **사정**|일 사 事, 뜻 정 情| 어떤 일의 형편이나 까닭을 남에게 말하고 무엇을 간절히 부탁함.
예 흥부는 놀부에게 쫓아내지 말아 달라고 사정했지만 놀부는 들은 체도 하지 않았다.

▲ 울타리

▶정답 및 해설 14쪽

1
이해

서술형

톰이 울타리 앞에서 한숨을 쉰 까닭은 무엇인지 쓰세요.

> 화창한 토요일 아침부터 벌로ㅤ＿＿＿＿＿＿＿＿＿＿
>
> ＿＿＿＿＿＿＿＿＿＿을 하게 되었기 때문이다.

2
문법

㉠과 같이 띄어쓰기를 바르게 한 것을 골라 ○표를 하세요.

(1) 너무 바빠서 아무것도 먹 지 못했다. (ㅤㅤㅤ)

(2) 동생은 숙제한 지 5분도 안 됐는데 졸고 있었다. (ㅤㅤㅤ)

> **힌트**
> '지'가 '어떤 일이 있었던 때로부터 지금까지의
> 동안.'을 나타낼 때에는 앞말과 띄어 써요.

3
유추

스스로 독해 해결!

벤에게 페인트칠을 시키기 위하여 톰이 한 말과 행동으로 알맞지 <u>않은</u> 것은 무엇인가요?

(ㅤㅤㅤ)

① "좋아. 그렇게까지 사정한다면……."

② "안 돼. 아무나 할 수 있는 일이 아니야!"

③ "일이라니? 이게 얼마나 즐거운 놀이인데."

④ 톰은 한가하게 놀면서 일을 끝마칠 수 있었다.

⑤ 톰은 박자를 맞추듯 노래를 부르며 칠을 해 댔다.

4
요약

이 글에서 톰의 의도를 생각하며 내용을 정리하여 빈칸에 알맞은 말을 각각 쓰세요.

톰에게 일어난 일	톰의 말과 행동	톰의 의도
❶ㅤㅤ을 몰래 훔쳐 먹은 ❷ㅤㅤ로 울타리를 페인트칠하게 되었다.	친구들에게 페인트칠이 즐겁고 신나는 일이라는 것을 보여 주는 말과 행동	친구들에게 ❸ㅤㅤㅤㅤ을 시키고 싶어 한다.

▶ 정답 및 해설 14쪽

1 다음 보기 와 같이 '영어+한자'의 짜임으로 된 낱말에 ◯표를 하세요.

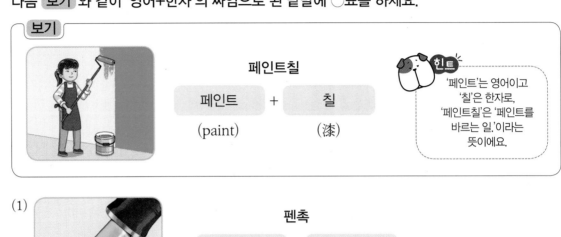

보기

페인트칠

페인트 + 칠

(paint)   (漆)

힌트
'페인트'는 영어이고 '칠'은 한자로, '페인트칠'은 '페인트를 바르는 일.'이라는 뜻이에요.

(1)

펜촉

펜 + 촉

(   )

(2)

햄버거

햄 + 버거

(   )

2 다음 낱말의 뜻을 보고, 낱말이 바르게 쓰인 문장을 골라 ◯표를 하세요.

미심쩍어   분명하지 못하여 마음이 놓이지 않는 데가 있어.

(1) 톰은 기뻐서 미심쩍어 하며 사과를 받았다. (   )

(2) 페인트칠을 즐겁게 하는 톰의 행동이 미심쩍어 보였다. (   )

3 다음 밑줄 그은 낱말과 뜻이 반대인 낱말을 골라 번호에 ◯표를 하세요.

톰은 페인트 붓을 벤에게 건네주었다.

(1) 물려주었다   (2) 주고받았다   (3) 건네받았다

● 톰이 친구들과 같이 보물을 찾는 모험을 떠났어요. 다음에서 설명하는 낱말을 따라가며 길 찾기 놀이를 해 보아요.

> 보물을 가지고 싶나?
> 다음에서 설명하는 낱말을
> 따라가면 보물은
> 너의 것이다!

첫 번째, 그럴듯하게 괜찮다.
두 번째, 페인트를 바르는 일.
세 번째, 분명하지 못하여 마음이 놓이지 않는 데가 있다.
네 번째, 풀이나 나무 따위를 얽거나 엮어서 담 대신에 경계를 지어 막는 물건.
다섯 번째, 어떤 일의 형편이나 까닭을 남에게 말하고 무엇을 간절히 부탁함.

 개구쟁이 톰이 친구들과 보물을 찾는 길 찾기 놀이를 하며 「톰 소여의 모험」에서 공부한 **낱말의 뜻**을 다시 익혀 봅니다.

롤러코스터에 숨어 있는 비밀은?

수용적 읽기에
대해 자세히
알아보기

천재 학습 백과

글의 내용을 이해하고 받아들여라!

글의 내용에 따라 읽기 방법이 달라질 수 있어요.

「롤러코스터에 숨어 있는 비밀은?」과 같이 설명하는 글을 읽을 때에는

글의 내용을 이해하고 글의 내용을 받아들이면서 읽어 보아요.

그러면 롤러코스터에 숨어 있는 수학의 비밀을 찾아볼까요?

● 오늘 공부할 글의 사진을 미리 보고, 빈칸에 알맞은 낱말을 **보기** 에서 각각 찾아 쓰세요.

보기

뫼비우스   회전목마   놀이공원   피타고라스   롤러코스터

2주
2일

❶

급경사·급커브의 레일 위나 360도로 돌아가는 레일 위를 아주 빠르게 달리거나 오르내리도록 만들어진 놀이 기구.

㉠ ○○○○○는 일정한 선로 위를 달리는 놀이 기구이다.

❷

돌아다니며 구경하거나 놀 수 있도록 여러 가지 시설이나 놀이 기구를 갖추어 놓은 곳.

㉠ ○○○○에 가면 꼭 타고 싶은 놀이 기구가 있다.

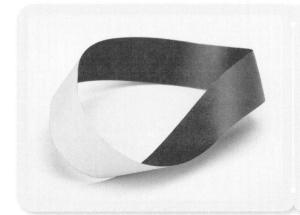

❸  의 띠

기다란 직사각형 종이를 한 번 비틀어 양쪽 끝을 맞붙여서 이루어지는 도형.

㉠ ○○○○의 띠는 안과 밖을 구분할 수 없는 것이 특징이다.

뫼비우스의 띠에
대해 더
알아보기

롤러코스터에 숨어 있는 비밀은?

스스로 독해

롤러코스터는 어떤 원리
로 만들어졌을까요? 점
선 부분을 따라 선을 그
으며 내용을 이해하고
답을 찾아보세요.

무서워서 눈도 못 뜨고 비명이 절로 터져 나오지만, 놀이공원에 가면 꼭 타고 싶은 롤러코스터. 롤러코스터는 지상보다 높은 곳에 설치된 일정한 선로 위를 달리는 놀이 기구를 말합니다.

롤러코스터는 '뫼비우스의 띠'의 원리를 이용한 것이에요. 사물에는 안과 밖이 있지요. 그런데 안과 밖을 구분할 수 없는 것이 있어요. 바로 뫼비우스의 띠예요.

기다랗게 자른 종이의 한쪽 끝을 다른 쪽에 붙이되, 종이를 180도 비틀어서 붙이면 뫼비우스의 띠가 만들어집니다. 띠의 한쪽 면의 중앙을 따라 선을 쭉 긋다 보면 뒷면이구나 싶은데, 어느새 처음 출발한 곳으로 돌아오게 될 거예요. 뫼비우스의 띠에 한 면만 있다는 것을 증명해 주는 것이지요.

뫼비우스의 띠는 독일의 수학자이자 천문학자인 뫼비우스가 생각해 낸 것으로, 생활에서 편리하게 사용되고 있어요. 롤러코스터뿐만 아니라 방앗간이나 공장에서 기계의 축을 돌리는 벨트에도 그 원리가 이용되고 있답니다. 한 번 꼬여 있는 벨트로 기계를 돌리면 벨트의 모든 면이 기계에 골고루 닿게 되므로 벨트의 수명이 훨씬 길어집니다.

어휘 풀이

▼ **놀이공원**|공변될 공 公, 동산 원 園| 돌아다니며 구경하거나 놀 수 있도록 여러 가지 시설이나 놀이 기구를 갖추어 놓은 곳.

▼ **롤러코스터** 급경사·급커브의 레일 위나 360도로 돌아가는 레일 위를 아주 빠르게 달리거나 오르내리도록 만들어진 놀이 기구. 예 누나는 롤러코스터 타는 것을 좋아한다.

▼ **선로**|줄 선 線, 길 로 路| 기차나 전차의 바퀴가 굴러가도록 레일을 깔아 놓은 길. 예 기차가 선로 위를 달린다.

▼ **뫼비우스의 띠** 기다란 직사각형 종이를 한 번 비틀어 양쪽 끝을 맞붙여서 이루어지는 도형.

▼ **증명**|증거 증 證, 밝을 명 明| 어떤 사항이나 판단 따위에 대하여 그것이 진실인지 아닌지 증거를 들어서 밝힘.
예 최초로 지구가 둥글다는 것을 증명한 과학자가 있었다.

▼ **벨트** 두 개의 바퀴에 걸어 동력을 전하는 띠 모양의 물건. 예 기계의 벨트를 교체해야 한다.

▼ **수명**|목숨 수 壽, 목숨 명 命| 사물 따위가 사용에 견디는 기간. 예 우리 집 냉장고의 수명이 다했다.

1
이해

다음 중 뫼비우스의 띠에 대한 설명으로 알맞지 <u>않은</u> 것에 ×표를 하세요.

(1) 안과 밖을 구분할 수 있다. (   )

(2) 생활에서 편리하게 사용된다. (   )

(3) 띠의 한쪽 면의 중앙을 따라 선을 쭉 그으면 뒷면인가 싶다가도 출발한 곳으로 돌아온다. (   )

2
유추

다음 중 뫼비우스의 띠를 알맞게 만든 것에 ○표를 하세요.

(1)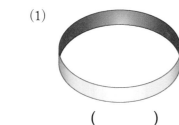

(   )

(2)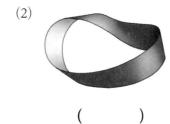

(   )

(3)

(   )

힌트
뫼비우스의 띠는 한 번 비틀어서 붙여야 해요.

3
이해

서술형

방앗간이나 공장에서 뫼비우스의 띠의 원리를 이용하는 까닭은 무엇인지 쓰세요.

방앗간이나 공장에서 기계의 축을 _____ 벨트로 돌리면 벨트의 모든 면이 기계에 골고루 닿게 되어 벨트의 수명이 길어지기 때문이다.

4
요약

스스로 독해 해결!

이 글의 내용을 이해한 후 중요한 내용을 정리하여 빈칸에 알맞은 말을 각각 쓰세요.

❶ ☐☐☐☐☐ 는 뫼비우스의 띠의 원리를 이용한 것이다. 뫼비우스의 띠는 기다랗게 자른 종이를 ❷ ☐☐ 도 비틀어서 한쪽 끝을 다른 쪽에 붙여서 만든 것으로, 안과 ❸ ☐ 을 구분할 수 없다. 뫼비우스의 띠는 롤러코스터뿐만 아니라 방앗간, 공장에서 기계의 축을 돌리는 벨트에도 그 원리가 이용되고 있다.

1 다음 낱말 중 보기 와 같은 뜻으로 쓰인 것에 ○표를 하세요.

> 보기
>
> 뜨다 감았던 눈을 벌리다.

(1) 드디어 비행기가 뜨기 시작했다. ( )

(2) 놀이 기구를 탔는데 무서워서 눈도 못 떴다 .
( )

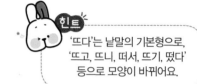

힌트

'뜨다'는 낱말의 기본형으로,
'뜨고, 뜨니, 떠서, 뜨기, 떴다'
등으로 모양이 바뀌어요.

2 다음 밑줄 그은 낱말과 뜻이 반대되는 낱말을 골라 각각 선으로 이으세요.

(1) 뫼비우스의 띠는 어디가 안인지 구분할 수 없다. ·

· ① 지하

(2) 기다랗게 자른 종이의 한쪽 끝을 다른 쪽에 붙인다. ·

· ② 바깥

(3) 롤러코스터는 지상보다 높은 곳에 설치된 선로 위를 달린다. ·

· ③ 짤따랗게

3 다음은 '롤러코스터'와 같은 외래어예요. 바르게 쓴 낱말에 각각 ○표를 하세요.

(1)

주스 쥬스

(2)

케잌 케이크

(3)

텔레비전 텔레비젼

힌트

외래어 표기법에 따라 'ㅈ' 다음에 오는 'ㅑ, ㅕ, ㅛ, ㅠ'는
'ㅏ, ㅓ, ㅗ, ㅜ'로 쓰고, 받침에는 'ㄱ, ㄴ, ㄹ, ㅁ, ㅂ, ㅅ, ㅇ'만 써요.

◎ 철수가 재미있는 놀이 기구를 타고 있어요. 철수는 어디에 있는지 찾아 ◯표를 하세요.

 「롤러코스터에 숨어 있는 비밀은?」에 나타난 **롤러코스터의 원리**를 생각하며 재미있는 친구 찾기 놀이를 해 봅니다.

희곡 (문학)

어떤 크리스마스

희곡의 해설에
대해 자세히
알아보기

천재 학습 백과

연극으로 공연할 무대를 상상하라!

희곡은 연극을 공연하려고 쓴 글이에요. 연극으로 공연할 때 무대는

해설에 나타난 시간과 장소의 분위기를 무대 배경과 조명, 음악 등으로 표현해요.

그러면 연극으로 공연할 무대를 상상하며 「어떤 크리스마스」를 읽어 볼까요?

◉ 오늘 공부할 글과 그림을 미리 보고, 알맞은 낱말을 각각 찾아 표시하세요.

피고는 매년 크리스마스 이브에 어린이들에게 사랑의 선물을 전한다고 합니다. 그렇지만 불가능한 이런 약속 때문에 많은 어린이들이 크리스마스 아침에 크게 속상해합니다. 또, 많은 부모님들이 상심하게 됩니다. 이에 본 검사는 피고를 엄벌에 처하기 위해서 기소합니다.

1 '개인 간의 권리나 이익 문제 등에 대한 재판에서 소송을 당한 사람.'이라는 뜻의 낱말을 찾아 ◯표를 하세요.

2 '엄하게 벌을 줌. 또는 그 벌.'이라는 뜻의 낱말을 찾아 △표를 하세요.

3 '검사가 특정한 형사 사건에 대하여 법원에 심판을 요구하는 일.'이라는 뜻의 낱말을 찾아 ☐표를 하세요.

재판에 대해 알아보기

어떤 크리스마스

고성욱

스스로 독해

이 글은 산타클로스를 재판하는 내용의 연극이에요. 점선 부분을 따라 선을 그으며 읽어 보고 연극으로 공연할 무대의 모습을 떠올려 보아요.

- 때: 현대, 크리스마스 전날
- 곳: 재판정
- 나오는 사람들: 산타클로스, 판사, 검사, 변호사, 증인 1, 증인 2, 서기, 아나운서, 카메라맨

판사: 지금부터 재판을 시작하겠습니다. (사회봉을 세 번 두드린다.) 피고, 이름이 뭡니까?

산타: 산타클로스입니다.

판사: 주소를 말씀하세요.

산타: 일정한 주소가 없습니다.

판사: 그게 무슨 말이지요?

산타: 하늘을 지붕 삼고 별들을 가족 삼고 풀벌레와 친구 하며 눈을 붙이는 곳이 집이어서 그렇습니다.

판사: (빙긋 웃으며) ㉠그런 식으로 대답하면 불리한 판결을 받을 수도 있습니다.

산타: (나직하게) 하지만, 사실입니다.

판사: 좋습니다. (검사를 바라보며) 검사, 피고를 법정에 세운 이유를 말씀하세요.

검사: (일어서며) 크리스마스는 온 인류가 기뻐하는 날입니다. 특히 어린이들이 손꼽아 기다립니다. 피고는 매년 크리스마스 이브에 어린이들에게 사랑의 선물을 전한다고 합니다. 그렇지만 불가능한 이런 약속 때문에 많은 어린이들이 크리스마스 아침에 크게 속상해합니다. 또, 많은 부모님들이 상심하게 됩니다. 이에 본 검사는 피고를 엄벌에 처하기 위해서 기소합니다.

어휘 풀이

▼ **피고** | 입을 피 被, 아뢸 고 告 | 개인 간의 권리나 이익 문제 등에 대한 재판에서 소송을 당한 사람.

▼ **엄벌** | 엄할 엄 嚴, 벌줄 벌 罰 | 엄하게 벌을 줌. 또는 그 벌. ⓔ 사고를 내고 도망간 이를 잡아 엄벌에 처하도록 해라.

▼ **기소** | 일어날 기 起, 하소연할 소 訴 | 검사가 특정한 형사 사건에 대하여 법원에 심판을 요구하는 일.
　　ⓔ 뺑소니 사고를 낸 사람을 기소하였다.

스스로 독해 해결!

1
유추

이 글을 읽고 연극으로 공연할 무대 모습을 떠올려 알맞게 말한 친구를 골라 ○표를 하세요.

(1)

재판정에서 일어난 일이므로 무대 중앙에 판사가 있고 양쪽에는 변호사와 산타클로스, 검사가 있는 모습이 떠올라.

(   )

(2)

현대 크리스마스 전날이므로 무대 위에는 크리스마스 트리가 있고 산타클로스가 아이들한테 선물을 나눠 주고 있는 모습일 것 같아.

(   )

2
표현

㉠을 실감 나게 읽은 것으로 알맞은 것에 ○표를 하세요.

(1) 답답하다는 듯이 화를 내며 읽는다. (   )

(2) 무슨 말인지 알겠다는 표정으로 빙긋 웃으며 읽는다. (   )

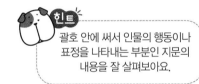
힌트
괄호 안에 써서 인물의 행동이나 표정을 나타내는 부분인 지문의 내용을 잘 살펴보아요.

서술형

3
이해

산타클로스를 법정에 세운 까닭은 무엇인지 쓰세요.

매년 크리스마스 이브에 _____을 전한다는 불가능한 약속을 해서 많은 어린이들을 속상하게 하고, 많은 부모님들을 상심하게 하기 때문이다.

4
요약

이 글의 내용을 정리하여 빈칸에 알맞은 말을 각각 쓰세요.

❶ ☐☐ 이 시작되고, 주소를 말하라는 ❷ ☐☐ 의 말에 산타는 자연 속에 살아서 일정한 주소가 없다고 대답한다. ❸ ☐☐ 는 산타가 불가능한 약속을 해서 많은 어린이들과 부모님들을 실망시켰다는 이유로 엄벌에 처하기 위해서 산타를 기소하였다.

1 다음 보기 의 밑줄 그은 낱말과 같은 방식으로 소리 나는 낱말에 모두 ○표를 하세요.

보기

풀벌레와 친구 하며 눈을 <u>붙이는</u> 곳이 집입니다. → [부치는]

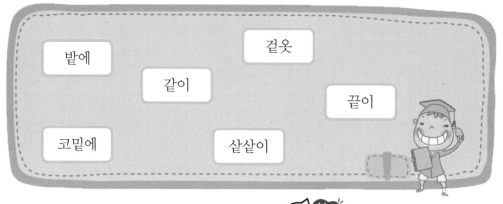

밭에

겉옷

같이

끝이

코밑에

샅샅이

힌트

받침 'ㅌ'이 'ㅣ' 모음을 만나서
[ㅊ]으로 바뀌어 소리 나는 것을 찾아보아요.

2 다음 보기 의 밑줄 그은 표현이 바르게 쓰인 상황을 골라 번호에 ○표를 하세요.

보기

어린이들이 크리스마스를 <u>손꼽아</u> 기다립니다.
└→ 기대에 차 있거나 안타까운 마음으로 날짜를 꼽으며 기다립니다.

(1)

어흥!
귀신이다!

아이고,
깜짝이야!
손꼽아 기다렸잖아.

(2)

근호야, 생일 축하해.
여기 내 선물이야.

고마워. 내가
이 날이 오기만을
손꼽아 기다렸지.

● 다음은 법원에서 각 인물이 하는 일에 대해 설명한 것이에요. 잘 읽고 문장에 알맞은 사람은 누구인지 골라 ○표를 하세요.

판사

판사는 법과 양심에 따라 공정하게 판정을 내리고 국민의 권리와 그에 따르는 이익을 보호하는 일을 합니다.

검사

검사는 사건에 대해 조사해서 법에 어긋나는지 아닌지를 따져 범죄를 수사하고 사건의 재판을 청구하여 재판을 시행하는 일을 합니다.

변호사

변호사는 피고나 원고를 변호하여 무죄 선고를 받거나 형량을 받을 수 있도록 돕는 일을 합니다.

서기

재판 등에서 문서나 기록 따위를 맡아보는 일을 합니다.

법원에서 피고나 원고를 변호하는 사람은 (판사 , 검사 , 변호사 , 서기)예요.

「어떤 크리스마스」에서 산타클로스가 재판을 받는 모습을 보고, **법원에서 각 인물의 역할**에 대해 좀 더 자세히 알아봅니다.

더위를 어떻게 먹을 수 있을까?

공부한 날 　 월 　 일

효과적인 관용
표현에 대해
자세히 알아보기

천재 학습 백과

관용어의 뜻을 짐작하라!

'더위 먹다'라는 말이 있지요? 더위는 먹을 수 있는 게 아닌데 이 말의 뜻은 뭘까요?

이와 같은 관용어의 뜻은 앞뒤 문장을 잘 살펴보고

관용어에 포함된 낱말의 뜻을 생각해 보면 짐작할 수 있어요.

「더위를 어떻게 먹을 수 있을까?」를 읽고 '더위 먹다'라는 말의 뜻을 짐작해 볼까요?

● 오늘 공부할 글의 그림을 미리 보고, 빈칸에 알맞은 낱말을 각각 찾아 쓰세요.

한여름	대보름	풍속	풍물

→음력 1월 15일인 명절.

음력 정월 ❶ ☐☐☐ 에 하는 ❷ ☐☐ 인 '더위팔기'를 알고 있나

↘그 사회에 전해 오는 생활 전반에 걸친 습관 따위.

요? '더위팔기'는 ❸ ☐☐☐ 에 더위를 먹지 않으려고 하는 거래요.

↘더위가 한창인 여름.

그런데 더위를 '먹는다'고요? 더위가 음식도 아닌데 어떻게 먹는다는 걸까요? '더위

먹다'의 뜻은 무엇일까요?

더위팔기
풍속에 대해
더 알아보기

더위를 어떻게 먹을 수 있을까?

스스로 독해

'더위 먹다'라는 말은 무슨 뜻일까요? 점선 부분을 따라 선을 그으며 읽어 보고 관용어의 뜻을 짐작해 보아요.

한여름 더위가 시작되어 입맛도 없어지고 기운도 떨어지면 사람들은 '더위 먹었다'라고 하지요. 그런데 더위가 음식도 아닌데 어떻게 먹는다는 걸까요?

'먹다'는 음식을 먹는다는 뜻 말고도 '욕을 먹다', '겁을 먹다'와 같이 쓰일 때에는 '당하다'나 '느끼다'라는 뜻으로도 쓰여요. 심한 더위를 당하거나 느끼면 어떻게 될까요? 몸에 이상이 생기겠지요? 이런 생각을 통해 '더위 먹다'가 '여름철에 더위 때문에 몸에 이상 증세가 생기다.'라는 뜻인 것을 짐작해 볼 수 있답니다.

'더위 먹다'와 관련된 재미있는 우리 민족의 풍속도 있답니다. 음력 정월 대보름에 하는 '더위팔기'라는 것이지요. 이날 오전에는 누가 ㉠아무리 이름을 불러도 대답을 하지 않았어요. 만약 소리 내어 대답을 하면 "내 더위 사 가게."라며 대답한 사람에게 더위를 팔았답니다. 이렇게 하면 더위를 판 사람은 그해 여름에 더위를 먹지 않는다고 믿었거든요.

지금은 그냥 재미있는 장난처럼 느껴지는 '더위팔기'이지만 옛날에는 '더위를 먹는다.'는 것이 얼마나 심각한 일이었는지 알 수 있지요. 옛날에는 더위 때문에 아픈 사람이 많았고 심지어 더워서 죽는 사람도 ㉡종종 있었다고 해요.

어휘 풀이

▼ **한여름** 더위가 한창인 여름. 예 한여름에 바다로 휴가를 떠났다.

▼ **풍속**|바람 풍 風, 관습 속 俗| 옛날부터 그 사회에 전해 오는 생활 전반에 걸친 습관 따위를 이르는 말.
　예 설날에는 윷놀이를 하는 풍속이 있다.

▼ **음력**|응달 음 陰, 책력 력 曆| 달이 지구를 한 바퀴 도는 데 걸리는 시간을 기준으로 하여 날짜를 세는 달력.
　예 내 생일은 음력 8월 19일이다.

▼ **정월**|바를 정 正, 달 월 月| 음력으로 한 해의 첫째 달. 예 고향에서 정월을 맞이하였다.

▼ **대**|큰 대 大|**보름** 음력 1월 15일을 명절로 이르는 말. 달을 보며 소원을 빌기도 하고 오곡밥, 견과류 등을 먹음.

1
어휘

㉠, ㉡과 바꾸어 쓸 수 있는 낱말을 골라 각각 선으로 이으세요.

(1) ㉠ | 아무리 | •   • | ① | 암만

(2) ㉡ | 종종 | •   • | ② | 가끔

2
이해

서술형

음력 정월 대보름에 '더위팔기'를 하는 까닭은 무엇인지 쓰세요.

더위를 판 사람은 그해 여름에 _____ 고
믿었기 때문이다.

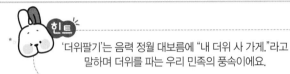

힌트

'더위팔기'는 음력 정월 대보름에 "내 더위 사 가게."라고
말하며 더위를 파는 우리 민족의 풍속이에요.

3
이해

'더위 먹다'의 뜻을 알맞게 말한 그림의 번호에 ○표를 하세요.

(1) 수박을 먹듯 그냥
더위를 냠냠 배불리
먹는다는 뜻이죠.

(2) 허허, 그 말은
시원한 그늘로 더위를
피한다는 뜻이란다.

(3) 헥헥, 더위 때문에
병이 생겼다는
뜻이에요.

4
요약

스스로 독해 해결!

이 글에서 '더위 먹다'의 뜻을 짐작하며 내용을 정리하여 빈칸에 알맞은 말을 각각 쓰세요.

'❶ [　　　] '는 '당하다'나 '느끼다'라는 뜻으로도 쓰인다. → 심한 더위를 당하

거나 느끼면 ❷ [　　] 에 이상이 생길 것이다. → '❸ [　　] 먹다'는 '여름철에

더위 때문에 몸에 이상 증세가 생기다.'라는 뜻이다.

똑똑한
하루 독해 어휘

기초 집중 연습으로 어휘력 튼튼

▶ 정답 및 해설 17쪽

1 다음 보기 와 같이 뜻을 더해 주는 말을 합해 낱말을 만든 것이 <u>아닌</u> 것을 골라 ×표를 하세요.

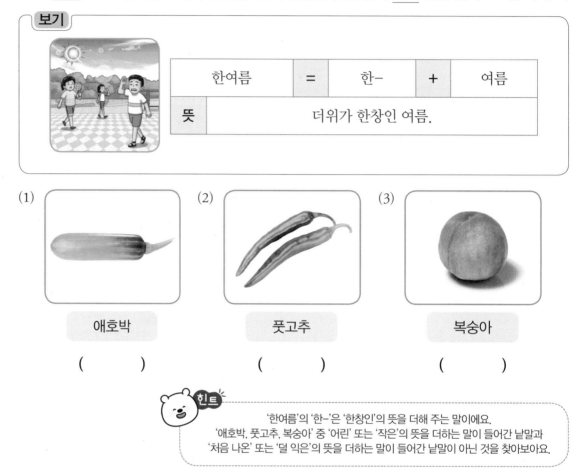

보기

한여름	=	한-	+	여름
뜻	더위가 한창인 여름.			

(1) 애호박 (　　　)

(2) 풋고추 (　　　)

(3) 복숭아 (　　　)

힌트
'한여름'의 '한-'은 '한창인'의 뜻을 더해 주는 말이에요.
'애호박, 풋고추, 복숭아' 중 '어린' 또는 '작은'의 뜻을 더하는 말이 들어간 낱말과
'처음 나온' 또는 '덜 익은'의 뜻을 더하는 말이 들어간 낱말이 아닌 것을 찾아보아요.

2 다음 낱말을 모두 포함하는 낱말을 보기 에서 찾아 쓰세요.

보기

날씨

풍속

정월

더위팔기　　쥐불놀이　　그네뛰기

힌트
'더위팔기', '쥐불놀이', '그네뛰기'가
무엇에 포함되는지 생각해 보아요.

● 음력 1월 15일은 쟁반같이 둥근 달을 볼 수 있는 정월 대보름이에요. 가족과 함께 어떤 놀이를 하려고 하는지 알맞은 것을 찾아 각각 놀이 이름에 표시하세요.

 (1) 다 같이 호두와 밤을 먹기로 했어요. 무엇을 하려고 하는지 ◯표를 하세요.

(2) 할머니와 함께 다리를 건너기로 했어요. 무엇을 하려고 하는지 △표를 하세요.

 「더위를 어떻게 먹을 수 있을까?」의 내용을 떠올리며 '더위팔기' 외에 **정월 대보름에 하는 풍속**에 대해 자세히 알아봅니다.

시내버스 음식물 반입 금지

공부한 날 　월 　일

낱말의 뜻을 짐작해라!

버스를 탈 때에 모든 음식물을 다 가지고 탈 수 있는 것은 아니에요.

「시내버스 음식물 반입 금지」를 보고 반입 금지 음식물에는 무엇이 있는지 살펴볼까요?

뜻을 잘 모르는 낱말이 있을 때에는 뜻을 잘 모르는 낱말의 앞뒤 상황을 살펴보고, 해당

낱말의 뜻과 비슷하거나 반대인 낱말을 대신 넣어 보아서 낱말의 뜻을 짐작해 보아요.

똑똑한 하루 독해 미리 보기

● 오늘 공부할 글의 그림을 미리 보고, 빈칸에 알맞은 낱말을 보기 에서 각각 찾아 쓰세요.

보기

소지　　　　운송　　　　위해　　　　승객

❶

차, 배, 비행기 따위의 탈것을 타는 손님.
㉮ 시내버스 운전자는 ○○의 안전을 위한 판단을 해야 한다.

❷

사람을 태워 보내거나 물건 따위를 실어 보냄.
㉮ 시내버스 운전자는 불결하거나 냄새나는 물건 등의 ○○을 거부할 수 있다.

❸

어떤 물건을 지니고 있는 일. 또는 그런 물건.
㉮ 내용물이 밖으로 흐를 수 있는 음식물을 ○○하고 버스에 타면 안 된다.

낱말의 뜻을
짐작하는 방법에
대해 알아보기

스스로 독해

안의 낱말에 색칠을 하고 그 뜻을 짐작해 보아요. 점선 부분을 따라 선을 그으면 낱말의 뜻을 짐작할 수 있어요.

시내버스 음식물 반입 금지

시내버스 운전자는 승객의 안전을 위해하거나 승객에게 피해를 줄 것으로 판단하는 경우, 음식물이 담긴 일회용 포장 컵 또는 그 밖의 불결하거나 냄새나는 물건 등의 운송을 거부할 수 있다.

■ 적용 예시

아래 사항에 해당하는 음식물을 소지하고 탑승하는 승객은 운전자가 운송을 거부할 수 있음.

▶ 가벼운 충격으로 인해 내용물이 밖으로 흐르거나 샐 수 있는 음식물

– 가벼운 충격이란: 실수로 바닥에 떨어뜨린 경우 등

▶ 포장되어 있지 않아 차내에서 먹을 수 있는 음식물

– 차내에서 먹을 목적이 아니고 단순히 운반하기 위해 포장된 음식물 또는 식재료 등은 허용

※ 운전자는 차내에서 음식물을 먹는 승객을 하차시킬 수 있음.

어휘 풀이

▼ **반입** |옮길 반 搬, 들 입 入| 운반하여 들여옴. 예 이곳은 휴대폰 반입이 금지되어 있다.

▼ **승객** |탈 승 乘, 손님 객 客| 차, 배, 비행기 따위의 탈것을 타는 손님.
예 승객의 안전을 위해 안전띠를 착용해 주시기 바랍니다.

▼ **위해** |위태할 위 危, 해로울 해 害| 위험과 재해를 아울러 이르는 말.
예 마을 주민에게 위해를 주는 행동은 삼가해 주시기 바랍니다.

▼ **불결** |아닐 불 不, 깨끗할 결 潔| 어떤 사물이나 장소가 깨끗하지 않고 더러움.
예 방치된 쓰레기들 때문에 골목이 불결해졌다.

▼ **운송** |운전할 운 運, 보낼 송 送| 사람을 태워 보내거나 물건 따위를 실어 보냄. 예 길이 막혀서 운송이 늦어지고 있다.

▼ **소지** |바 소 所, 가질 지 持| 어떤 물건을 지니고 있는 일. 또는 그런 물건. 예 운전을 할 때에는 면허증을 소지해야 한다.

▼ **탑승** |탈 탑 搭, 탈 승 乘| 배나 비행기, 차 따위에 올라탐. 예 이 배의 탑승 시작 시간은 10시 10분이다.

스스로 독해 해결! 서술형

1 다음 낱말의 뜻을 짐작하여 빈칸에 들어갈 알맞은 말을 쓰세요.

유추

| 위해 | 앞에 '안전'이라는 낱말이 나오고 뒤에는 '_____

_____'이라는 말로 보아 '위해'는 '위험하게 하다' 등의

뜻일 것이다. |

힌트

낱말의 뜻을 짐작할 때에는 뜻을 잘 모르는 낱말의 앞뒤
상황을 살펴보거나 해당 낱말의 뜻과 비슷하거나
반대인 낱말을 대신 넣어 보면 알 수 있어요.

2주
5일

2 다음 중 운전자가 운송을 거부할 수 있는 사람이 있는 그림을 두 가지 고르세요.

이해

(   )

①

②

③

④

3 이 글의 중요한 내용을 정리하여 빈칸에 알맞은 말을 각각 쓰세요.

요약

| 시내버스에 일부 음식물을 소지하고 탑승하는 승객은 시내버스 ❶ _____ 가 운송을 거부할 수 있다. |

→

반입 금지의 경우 예
• 가벼운 충격으로 인해 내용물이 밖으로 흐르거나 샐 수 있는 ❷ • ❸ _____ 되어 있지 않아 차내에서 먹을 수 있는 음식물

1 다음 빈칸에 들어갈 알맞은 낱말을 보기 에서 각각 찾아 쓰세요.

> 보기
>
> 셌다 사물의 수를 헤아리거나 꼽았다.
>
> 샜다 기체, 액체 따위가 틈이나 구멍으로 조금씩 빠져 나가거나 나왔다.

(1)  지금까지 들어온 돈이 얼마인지 ☐ ☐ .

(2)  뚜껑을 꽉 닫지 않아서 물통 안의 물이 ☐ ☐ .

2 다음 그림과 문장에 알맞은 낱말을 보기 에서 각각 찾아 쓰세요.

> 보기
>
> 하차   금지   소지

(1) 할인권을 ☐ 하신 손님은 보여 주시기 바랍니다.

(2) 이곳은 수영 ☐ 구역이므로 다른 곳으로 가십시오.

(3) 차가 완전히 멈춘 다음에 ☐ 하시기 바랍니다.

> 힌트
>
> '하차'는 '타고 있던 차에서 내림.'이라는 뜻이고, '금지'는 '어떤 행위를 하지 못하도록 함.'이라는 뜻이에요.

● 시내버스를 이용할 때에는 지켜야 할 예절이 있어요. 다음 그림에서 시내버스 이용 예절을 지키지 않은 사람을 다섯 명 찾아 ○표를 하세요.

> ■ 시내버스 이용 승객 예절
>
> ❶ 교통 약자석은 교통 약자에게 양보하기
> ❷ 전화 통화, 대화는 작은 소리로 간단히 하기
> ❸ 차내에서는 음식물 먹지 않기
> ❹ 반려동물은 전용 운반구에 넣어 승차하기
> ❺ 안전사고 예방 및 승차 질서를 위해 뒷문 승차하지 않기

 「시내버스 음식물 반입 금지」의 내용을 생각하며, **시내버스를 이용할 때 지켜야 하는 예절**에 대해서 더 알아봅니다.

[1~2] 다음 글을 읽고, 물음에 답하세요.

톰은 박자를 맞추듯 노래를 부르며 칠을 해 댔다. 처음에는 미심쩍어하던 벤도 점차 흥미를 보이기 시작했다.

"내가 좀 칠해 줄까?"

"안 돼. 아무나 할 수 있는 일이 아니야!"

"이 사과 줄게. 한 번만 해 보자."

"좋아. 그렇게까지 사정한다면……."

톰은 못마땅한 척하며 페인트 붓을 벤에게 ㉠건네주었다. 벤이 지쳐 갈 무렵에는 또 다른 아이들이 나타났고, 앞다투어 자신의 소중한 물건을 톰에게 주고, 페인트 붓을 건네받았다. 덕분에 톰은 한가하게 놀면서 일을 끝마칠 수 있었다.

1 ㉠과 뜻이 반대인 낱말은 무엇인가요?
( )

① 나누었다
② 돌려주었다
③ 주고받았다
④ 물려주었다
⑤ 건네받았다

2 이 글에 나타난 톰의 의도로 알맞은 것에 ○표를 하세요.

(1) 친구들과 친해지고 싶어 한다. ( )

(2) 친구들에게 페인트칠을 시키고 싶어 한다.
( )

(3) 친구들에게 페인트칠을 시키는 것을 미안해한다. ( )

[3~5] 다음 글을 읽고, 물음에 답하세요.

뫼비우스의 띠는 독일의 수학자이자 천문학자인 뫼비우스가 생각해 낸 것으로, 생활에서 편리하게 사용되고 있어요. ㉠롤러코스터뿐만 아니라 방앗간이나 공장에서 기계의 축을 돌리는 벨트에도 그 원리가 이용되고 있답니다. 한 번 꼬여 있는 벨트로 기계를 돌리면 벨트의 모든 면이 기계에 골고루 닿게 되므로 벨트의 수명이 훨씬 길어집니다.

3 뫼비우스의 띠를 생각해 낸 사람은 누구인지 이 글에서 찾아 쓰세요.

( )

4 ㉠과 같은 외래어를 두 가지 고르세요.
( )

① 나무
② 하늘
③ 주스
④ 케이크
⑤ 어머니

5 뫼비우스의 띠처럼 한 번 꼬여 있는 벨트로 기계를 돌리면 벨트의 수명이 길어지는 까닭은 무엇인지 알맞은 것에 ○표를 하세요.

(1) 벨트의 한쪽 면만이 기계에 닿기 때문에
( )

(2) 벨트가 돌아가는 속도가 느려지기 때문에
( )

(3) 벨트의 모든 면이 기계에 골고루 닿기 때문에 ( )

[6~7] 다음 글을 읽고, 물음에 답하세요.

산타: (나직하게) 하지만, 사실입니다.

판사: 좋습니다. (검사를 바라보며) 검사, 피고를 법정에 세운 이유를 말씀하세요.

검사: (일어서며) 크리스마스는 온 인류가 기뻐하는 날입니다. 특히 어린이들이 손꼽아 기다립니다. 피고는 매년 크리스마스 이브에 어린이들에게 사랑의 선물을 전한다고 합니다. 그렇지만 불가능한 이런 약속 때문에 많은 어린이들이 크리스마스 아침에 크게 속상해합니다. 또, 많은 부모님들이 상심하게 됩니다. 이에 본 검사는 피고를 엄벌에 처하기 위해서 기소합니다.

6 이 글에 어울리는 무대의 장소로 알맞은 곳은 어디인가요? ( )

① 숲속 　　　② 교실

③ 재판정 　　④ 백화점

⑤ 스케이트장

7 검사가 산타클로스를 엄벌에 처하려는 까닭은 무엇인지 알맞은 것에 ○표를 하세요.

(1) 산타클로스가 소란을 피워서 　( )

(2) 산타클로스가 어린이와 부모님에게 선물을 나누어 주어서 　　　　　　( )

(3) 산타클로스가 사랑의 선물을 전한다는 불가능한 약속을 해서 어린이와 부모님을 상심하게 해서 　　　　　　　( )

[8~9] 다음 글을 읽고, 물음에 답하세요.

'더위 먹다'와 관련된 재미있는 우리 민족의 풍속도 있답니다. 음력 정월 대보름에 하는 '더위팔기'라는 것이지요. 이날 오전에는 누가 아무리 이름을 불러도 대답을 하지 않았어요. 만약 소리 내어 대답을 하면 "내 더위 사 가게."라며 대답한 사람에게 더위를 팔았답니다. 이렇게 하면 더위를 판 사람은 그해 여름에 더위를 먹지 않는다고 믿었거든요.

8 '더위팔기'를 한 때는 언제인지 이 글에서 찾아 쓰세요.

( )

9 '더위팔기'를 한 까닭은 무엇인지 알맞은 것에 ○표를 하세요.

(1) 더위를 판 사람은 부자가 될 수 있다고 믿어서 　　　　　　　　( )

(2) 더위를 판 사람은 그해 여름에 더위를 먹지 않는다고 믿어서 　　　　( )

10 다음 밑줄 그은 말을 바르게 고쳐 쓰세요.

▶ 가벼운 충격으로 인해 내용물이 밖으로 흐르거나 <u>셀</u> 수 있는 음식물

( )

창의
1 다음 만화를 읽고, 2주차에서 배운 낱말을 떠올려 어휘 퀴즈에 알맞은 낱말을 빈칸에 각각 쓰세요.

🐻 **어휘 퀴즈**

❶ '사물 따위가 사용에 견디는 기간.'을 뜻하는 말은? →

❷ '어떤 사물이나 장소가 깨끗하지 않고 더러움.'을 뜻하는 말은? →

❸ '음주 운전을 하는 사람은 ○○을 받아야 한다.'의 빈칸에 들어갈 알맞은 말은? →

융합

2 「톰 소여의 모험」을 읽고 톰의 친구들처럼 담장을 칠하려고 해요. 희수와 대희는 담장에 각각 어떤 색을 칠할지 쓰세요.

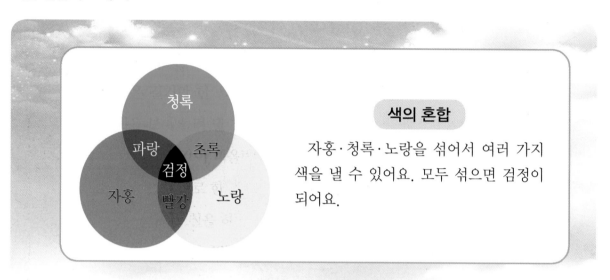

색의 혼합

자홍·청록·노랑을 섞어서 여러 가지 색을 낼 수 있어요. 모두 섞으면 검정이 되어요.

 (1) 희수가 칠한 색: (　　　　　) (2) 대희가 칠한 색: (　　　　　)

코딩

3 「어떤 크리스마스」에 나오는 산타클로스가 사랑의 선물을 모두 가지고 마을에 도착할 수 있도록 도 와주려고 해요. 어떤 코딩 명령을 사용해야 할지 알맞은 것에 ○표를 하세요.

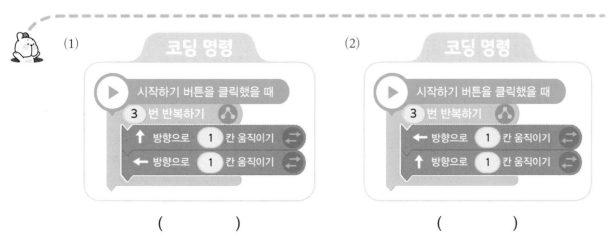

(1) (   )   (2) (   )

창의
4 놀이 기구 탑승 시 주의 사항을 보고 알맞은 말에 각각 ◯표를 하세요.

생활 어휘

회전목마를 타기 전에 주의할 점을 읽어 보자.

회전목마

이용 제한

| 노약자 | 임산부 | 음주자 | 양팔 불편
(목마 탑승 시) |

· 신체적 또는 정신적으로 ▼불안정하여, 탑승 시 자신의 안전을 저해할 ▼우려가 있는 분은 성인 보호자와 ▼동반 탑승하셔야 합니다.

· 어린이, 만 65세 이상, 몸이 불편하신 분은 말을 타고 내릴 때 특히 주의하시기 바랍니다. 보호자와 함께 해 주세요.

· 탑승물 선택은 입장 순서와 관계가 없습니다.

회전목마를 탈 수 없는 사람에 대해서도 잘 읽어 봐야지.

얘들아! 회전목마를 탈 때 몸과 마음이 (1) (안정된 , 안정되지 못한) 상태여서 자신의 안전을 스스로 지키지 못할 것 같은 (2) (걱정 , 기쁨)이 있는 분은 성인 보호자와 (3) (함께 , 따로) 타야 해. 말을 타고 내릴 때에도 주의해야 한대.

어휘 풀이

▼ **불안정** | 아닐 불 不, 편안할 안 安, 정할 정 定 | 안정성이 없거나 안정되지 못한 상태임.
   예 대기가 불안정하니 모두 자리에 앉아 주시기 바랍니다.

▼ **우려** | 근심 우 憂, 생각할 려 慮 | 근심하거나 걱정함. 또는 그 근심과 걱정.
   예 폭력적인 영화는 아이들에게 나쁜 영향을 미칠 우려가 있다.

▼ **동반** | 같을 동 同, 짝 반 伴 | 일을 하거나 길을 가는 따위의 행동을 할 때 함께 짝을 함. 또는 그 짝.
   예 부모님께서는 부부 동반 모임에 가셨다.

창의

5

생활 한자

正(바를 정) 자에 대해 알아보고, 다음 물음에 답하세요.

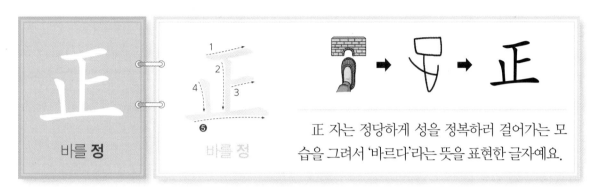

바를 정

正 자는 정당하게 성을 정복하러 걸어가는 모습을 그려서 '바르다'라는 뜻을 표현한 글자예요.

(1) 正 자가 들어간 낱말을 알아보고, 한자의 음을 쓰세요.

① 우리 집 가훈은 '正直하게 살자'이다.

[ ] 직

> **힌트**
> 74쪽에서 공부한 '정월'에 쓰인 正(바를 정) 자에 대해 알아봐요.

② 뉴스는 公正한 보도를 해야 한다.

공 [ ]

(2) 한자 성어의 뜻을 알아보고, 빈칸에 알맞은 한자를 쓰세요.

事 必 歸 正

일 **事**　반드시 **必**　돌아올 **歸**　바를 **正**

모든 일은 반드시 바른길로 돌아감.

• 욕심 많은 나무꾼이 산신령을 속이고 금도끼와 은도끼를 얻으려다가 쇠도끼까지 잃게 된

것은 事 必 歸 [ ] (사필귀정)의 결과이다.

3주에는 무엇을 공부할까? ❷

1-1 ☐ 안에 들어갈 알맞은 말을 골라 ○표를 하세요.

☐ 아주 먼 곳에 있다면 우리는 미드웨이섬을 떠나야 할지도 몰라요.

결코   만약

1-2 다음 빈칸에 '만약'이 들어가기에 알맞은 문장을 골라 ○표를 하세요.

(1) ☐ 나는 약속을 어기지 않았다. (   )

(2) ☐ 내가 형이라면 동생을 잘 보살펴 줄 것이다. (   )

힌트 '만약'은 '혹시 있을지도 모르는 뜻밖의 경우에.'를 뜻하는 낱말이에요.

▶ 정답 및 해설 20쪽

2-1 다음 문장에 넣을 바른 낱말을 골라 ○표를 하세요.

파리지옥은 평소에는 이 두 장의 잎을
(벌리고 , 벌이고) 있다.

2-2 다음 문장에서 잘못 쓴 낱말을 찾아 바르게 고쳐 쓰세요.

동생이 입을 크게 벌이고 하품을 했다.

(   ) → (   )

힌트
'벌리고'는 '둘 사이를
넓히거나 멀게 하고.'라는
뜻의 낱말이에요.

이야기 (문학)

위즈덤의 편지

공부한 날   월   일

독서 토의에 대해
자세히 알아보기

천재 학습 백과

이야기를 읽고 토의해 보자!

이야기 「위즈덤의 편지」를 읽고,

위즈덤에게 닥친 문제가 무엇인지 알아봐요.

그리고 문제를 해결하기 위해 우리가 어떤 일을 할 수 있는지

의견을 말하며 토의해 봐요.

● 오늘 공부할 글과 그림을 미리 보고, 알맞은 낱말을 각각 찾아 표시하세요.

나는 아주 오래전부터 미드웨이섬에 살았고, 태평양이 주는 먹이를 먹었어요. 내가 낳은 새끼들도, 그리고 그 새끼의 새끼들도 바다가 주는 먹이를 먹으며 자랐지요. 바다는 언제나 풍요로운 곳이었어요.

그런데 이제 어디에서 먹이를 찾아야 할지 모르겠어요. 먹이가 있는 곳에는 사람들의 낚싯바늘이 있고, 그렇지 않은 곳에는 플라스틱 조각들만 떠다니고 있으니까요.

1 '오대양의 하나. 유라시아, 남북아메리카, 오스트레일리아 따위의 대륙에 둘러싸인 바다.'라는 뜻의 낱말을 찾아 ○표를 하세요.

2 '흠뻑 많아서 넉넉함이 있는.'이라는 뜻의 낱말을 찾아 △표를 하세요.

3 '미끼를 꿰어 물고기를 잡는 데 쓰는 작은 쇠갈고리.'라는 뜻의 낱말을 찾아 □표를 하세요.

이야기
「위즈덤의 편지」
전체 보기

위즈덤의 편지

정지은

스스로 독해

이야기의 주인공인 위즈덤에게 닥친 문제는 무엇인가요? 점선 부분을 따라 선을 그으며 읽어 보고 문제 상황을 바탕으로 토의 주제를 정해 보세요.

나는 아주 오래전부터 미드웨이섬에 살았고, 태평양이 주는 먹이를 먹었어요. 내가 낳은 새끼들도, 그리고 그 새끼의 새끼들도 바다가 주는 먹이를 먹으며 자랐지요. 바다는 언제나 풍요로운 곳이었어요.

그런데 이제 어디에서 먹이를 찾아야 할지 모르겠어요. 먹이가 있는 곳에는 사람들의 낚싯바늘이 있고, 그렇지 않은 곳에는 플라스틱 조각들만 떠다니고 있으니까요.

이렇게 크고 넓은 바다에서 먹이를 구하지 못하게 될 거라고는 상상조차 해 본 적이 없었어요. 지금 플라스틱 조각으로 배를 채우고 있는 어린 알바트로스들은 무사히 어른이 될 수 있을까요? 그 아이들이 자라서 바다 위를 날아 볼 수는 있을까요?

이 편지를 다 쓰고 나면 나는 다시 여행을 떠나야 해요. 미드웨이섬 근처에서는 먹이를 찾지 못했지만, 더 멀리 나가면 어딘가 깨끗한 바다가 있을지도 모르니까요. 우리의 아이들이 너무 많이 아프기 전에 먹이가 있는 바다를 찾을 수 있었으면 좋겠어요. 가까이 있다면 다행이겠지만, 만약 아주 먼 곳에 있다면 우리는 미드웨이섬을 떠나야 할지도 몰라요.

어휘 풀이

- ▼**태평양**|클 태 太, 평평할 평 平, 큰 바다 양 洋| 오대양의 하나. 유라시아, 남북아메리카, 오스트레일리아 따위의 대륙에 둘러싸인 바다. 세계 바다 면적의 반을 차지함. ⑩ 태평양의 오염이 심각하다.
- ▼**풍요**|풍년 풍 豐, 넉넉할 요 饒|**로운** 흠뻑 많아서 넉넉함이 있는. ⑩ 풍요로운 가을 들판이 보인다.
- ▼**낚싯바늘** 미끼를 꿰어 물고기를 잡는 데 쓰는 작은 쇠갈고리. 흔히 끝이 뾰족하고 꼬부라져 있음.
- ▼**알바트로스** 슴샛과의 바닷새. 몸은 흰색, 날개와 꽁지는 검은색, 부리는 분홍색이고 매우 큼.
- ▼**무사**|없을 무 無, 일 사 事|**히** 아무 탈 없이 편안하게. ⑩ 아버지께서 전쟁터에서 무사히 돌아오셨다.

▶ 정답 및 해설 20쪽

1

이해

다음 중 이 편지를 쓴 위즈덤에 대해 알맞게 말한 두 친구의 이름을 쓰세요.

진호: 태평양에 있는 미드웨이섬이란 곳에 살고 있어.

지수: 사람들이 사는 도시에 찾아가 먹이를 훔쳐 오고 있어.

요한: 사람이 아니라 알바트로스라는 새인데, 걱정거리를 가지고 있어.

(   )

2

이해

서술형

위즈덤은 어떤 문제로 힘들어하고 있는지 쓰세요.

먹이가 있는 곳에는 사람들의 낚싯바늘이 있고, 그렇지 않은 곳에는 _____만 떠다녀서 먹이를 구하지 못하게 되었다.

3

유추

스스로 독해 해결!

이 글에 나타난 문제를 해결할 수 있는 토의 주제로 알맞은 것은 무엇인가요? (   )

① 자연을 개발하려면 어떻게 해야 할까?

② 바다를 오염시키는 동물들을 어떻게 해야 할까?

③ 사람들에게 해를 끼치는 동물들을 어떻게 해야 할까?

④ 동물들에게 깨끗한 바다를 돌려주려면 어떻게 해야 할까?

⑤ 알바트로스를 잡아서 키워 보고 싶은데 어떻게 해야 할까?

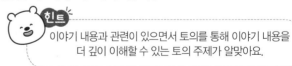

힌트

이야기 내용과 관련이 있으면서 토의를 통해 이야기 내용을 더 깊이 이해할 수 있는 토의 주제가 알맞아요.

4

요약

위즈덤에게 일어난 일을 정리하여 빈칸에 알맞은 말을 각각 쓰세요.

예전 위즈덤의 생활	현재 위즈덤의 생활
태평양의 미드웨이섬에 살면서 풍요로운 ❶ _____ 가 주는 먹이를 먹었다.	사람들 때문에 바다에서 ❷ _____ 를 구할 수 없게 되어 깨끗한 바다를 찾아 여행을 떠나야 한다.

▶ 정답 및 해설 20쪽

1 다음 보기 에서 빈칸에 알맞은 낱말을 찾아 각각 쓰세요.

보기

낳은 배 속의 아이, 새끼, 알을 몸 밖으로 내놓은.

나은 보다 더 좋거나 앞서 있는.

(1) 내가 ☐☐☐☐☐ 새끼들도, 그리고 그 새끼의 새끼들도 바다가 주는 먹이를 먹으며 자랐지요.

(2) 만약 위즈덤이 더 ☐☐☐☐☐ 사냥터를 찾지 못한다면 우리는 알바트로스들을 영원히 볼 수 없게 될지도 몰라요.

2 다음 보기 의 내용을 읽고, 빈칸에 들어갈 말로 알맞은 것을 골라 쓰세요.

보기
부터 어떤 일의 시작이나 처음을 나타내는 말.
조차 일반적으로 예상하기 어려운 극단의 경우까지 포함함을 나타내는 말.

이렇게 크고 넓은 바다에서 먹이를 구하지 못하게 될 거라고는 상상 ☐☐ 해 본 적이 없었어요.

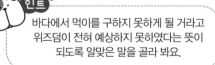

힌트
바다에서 먹이를 구하지 못하게 될 거라고
위즈덤이 전혀 예상하지 못하였다는 뜻이
되도록 알맞은 말을 골라 봐요.

똑똑한 하루 독해 게임

재미있는 독해 게임으로 독해력 쑥쑥

▶ 정답 및 해설 20쪽

● 알바트로스들이 먹이를 찾고 있어요. 먹이를 잘 찾을 수 있게 맞춤법에 맞는 낱말이 적힌 먹이에는 ○표를 하고, 맞춤법에 맞지 않는 낱말이 적힌 쓰레기에는 ×표를 하세요.

 이야기 「위즈덤의 편지」의 내용을 떠올리며 **맞춤법에 맞는 낱말과 맞지 않는 낱말을 구분**해 보고, 우리가 바다에 어떤 쓰레기를 버려 왔는지 살펴봅니다.

과학 (비문학)

식물은 물과 햇빛만 먹고 살까?

공부한 날   월   일

예시에 대해
자세히 알아보기

천재 학습 백과

글에 쓰인 설명 방법을 파악하며 읽자!

「식물은 물과 햇빛만 먹고 살까?」에는 예시의 설명 방법이 쓰였어요.

예시는 구체적인 예를 들어 대상을 설명하는 방법이에요.

예시의 설명 방법이 쓰인 글을 읽으면 대상을 더 쉽게 이해할 수 있답니다.

▶ 정답 및 해설 21쪽

● 오늘 공부할 글의 사진을 미리 보고, 빈칸에 알맞은 낱말을 보기 에서 각각 찾아 쓰세요.

보기

| 사냥 | 함정 | 식충 | 점액 |

❶

벌레를 잡아먹음.

⑩ ○○ 식물은 곤충과 같은 작은 동물을 잡아먹고 사는 식물을 말해.

❷

생물체의 몸에서 나오는 끈끈한 성질을 가진 액체.

⑩ 끈끈이주걱의 선모 끝에는 ○○이 달려 있지.

❸

힘센 짐승이 약한 짐승을 먹이로 잡는 일.

⑩ 끈끈이주걱이 곤충을 ○○하는 무기가 바로 이 점액이야.

식물은 물과 햇빛만 먹고 살까?

스스로 독해

이 글에 사용된 설명 방법은 무엇인가요? 점선 부분을 따라 선을 그으며 읽고, 어떤 설명 방법이 사용되었는지 알아보아요.

식물은 물과 햇빛이 있어야 살 수 있어. 그런데 식물 중에는 독특한 것을 먹고 사는 식물이 있어. 바로 식충 식물이야. 식충 식물은 곤충과 같은 작은 동물을 잡아먹고 사는 식물을 말하는데, '벌레잡이 식물'이라고도 하지. 예를 들어, 대표적인 식충 식물로는 끈끈이주걱, 파리지옥 등이 있어.

끈끈이주걱의 잎은 그 이름처럼 주걱 모양을 하고 있는데, 잎 가장자리에 '선모'라고 하는 가느다란 털이 잔뜩 돋아 있어. 선모 끝에는 점액이 달려 있지. 끈끈이주걱이 곤충을 사냥하는 무기가 바로 이 점액이야. 곤충들은 그게 꽃인 줄 알고 내려앉거든. 그러면 곧바로 다리와 날개가 점액에 찰싹 달라붙게 되지. 곤충들은 그제야 위험을 느끼고 발버둥을 치지만 끈끈이주걱의 점액에 걸리면 절대 빠져나갈 수 없어.

파리지옥은 두 장의 잎으로 되어 있어. 평소에는 이 두 장의 잎을 벌리고 있다가 곤충이나 작은 동물이 잎 안으로 들어와 털을 건드리면 순식간에 잎을 닫은 후 냠냠 먹어 버리지.

이 밖에도 작은 동물을 잡아먹는 식충 식물들은 많아. 하지만 아직까지 사람을 잡아먹는 식물은 발견되지 않았으니까 너무 걱정할 필요는 없어.

▲ 끈끈이주걱

▲ 파리지옥

어휘 풀이

▼ **식충**|먹을 식 食, 벌레 충 蟲| 벌레를 잡아먹음. 예 식충 식물은 벌레를 소화시켜 영양분을 얻는다.

▼ **점액**|끈끈할 점 粘, 진 액 液| 생물체의 몸에서 나오는 끈끈한 성질을 가진 액체.
　예 달팽이가 지나간 자리에는 점액이 남는다.

▼ **사냥**   힘센 짐승이 약한 짐승을 먹이로 잡는 일. 예 쥐를 사냥하라고 고양이를 한 마리 데려왔다.

▼ **순식간**|눈 깜짝일 순 瞬, 숨 쉴 식 息, 사이 간 間| 눈을 한 번 깜짝하거나 숨을 한 번 쉴 만한 아주 짧은 동안.
　예 동생은 배가 고팠는지 밥을 순식간에 먹어 버렸다.

1
이해

구체적인 예를 들어 설명하는 방법이 쓰인 문장에 ◯표를 하세요.

(1) 예를 들어, 대표적인 식충 식물로는 끈끈이주걱, 파리지옥 등이 있어. (   )

(2) 식충 식물은 곤충과 같은 작은 동물을 잡아먹고 사는 식물을 말하는데, '벌레잡이 식물'이라고도 하지. (   )

2
이해

서술형

이 글에서 보통 식물과 식충 식물은 살아가는 데 무엇이 필요하다고 하였는지 쓰세요.

> 식물은 _____이 있어야 살 수 있다. 그런데 식충 식물은 독특하게도 곤충과 같은 작은 동물을 잡아먹고 산다.

3주
2일

3
유추

다음 중 이 글에 덧붙일 내용으로 알맞은 것에 ◯표를 하세요.

(1) 벌레잡이통풀은 벌레잡이통 입구의 꿀샘에 모여든 벌레가 미끄러져서 통 속으로 떨어지면 소화액을 내보내 벌레를 잡아먹는다. (   )

(2) 갯벌이나 바닷가에 사는 맹그로브 나무는 물에 씨가 떠내려가지 않게 하기 위해 나무에서 씨를 어느 정도 키워서 땅으로 내려보낸다. (   )

> 힌트
> 예로 든 다른 식물들처럼 식충 식물의 특징을 가지고 있는 식물을 찾아봐요.

4
요약

이 글의 내용을 정리하여 빈칸에 알맞은 말을 각각 쓰세요.

식충 식물	끈끈이주걱: 주걱 모양의 잎 가장자리에 돋은 '❶ '라고 하는 가느다란 털에 점액이 달려 있다. 그게 꽃인 줄 알고 내려앉은 곤충은 점액에 달라붙어 빠져나갈 수 없게 된다.
곤충과 같은 작은 동물을 잡아먹고 사는 식물	파리지옥: 두 장의 ❷ 으로 되어 있는데, 평소에 이 두 장의 잎을 벌리고 있다가 곤충이나 작은 동물이 잎 안으로 들어와 ❸ 을 건드리면 순식간에 잎을 닫은 후 먹어 버린다.

1 다음 제시된 뜻에 어울리는 낱말을 만들려면 '발'에 어떤 말을 합하면 될지 빈칸에 알맞은 말을 보기 에서 찾아 쓰세요.

보기

걸음   버둥   걸레

발 + ☐ = 뜻

「1」 주저앉거나 누워서 두 다리를 번갈아 내뻗었다 오므렸다 하면서 몸부림을 하는 일.
「2」 온갖 힘이나 수단을 다하여 애를 쓰는 일을 비유적으로 이르는 말.

힌트
만들어질 낱말의 뜻을 먼저 살펴보고 그에 어울리는 뜻을 가진 낱말을 그림을 참고해 골라 보아요.

2 다음 밑줄 그은 낱말과 뜻이 반대인 낱말을 찾아 각각 선으로 이으세요.

(1) 식물 중에는 <u>독특한</u> 것을 먹고 사는 식물이 있다. •

(2) 끈끈이주걱의 잎 가장자리에는 <u>가느다란</u> 털이 잔뜩 돋아 있다. •

• ① 기다란

• ② 굵다란

• ③ 평범한

• ④ 특별한

● 어린 벌이 꿀을 모으러 꽃밭으로 출발했어요. 다른 벌들이 하는 말들을 잘 읽고, 위험한 식충 식물을 피해 꽃밭을 찾아 가 보세요.

 「식물은 물과 햇빛만 먹고 살까?」에 나온 **식충 식물들의 모습과 특징**을 떠올리며, 어린 벌이 식충 식물을 피해 꽃밭으로 가는 길을 찾아봅니다.

첫눈

공부한 날   월   일

시조에 대해
자세히 알아보기

천재 학습 백과

시조의 특성을 알아보자!

우리나라 전통 시 중에는 정해진 형식을 엄격히 지켜야 하는 시조가 있어요.

시조는 초장 · 중장 · 종장의 3행으로 이루어져 있고,

종장의 첫 부분은 항상 세 글자여야 한답니다.

시조가 지켜야 할 형식을 생각하며 「첫눈」을 읽어 보아요.

● 오늘 공부할 글의 사진을 미리 보고, 빈칸에 알맞은 낱말을 각각 찾아 쓰세요.

보기

| 김장 | 함박눈 | 낙엽 | 소나기 |

❶

말라서 떨어진 나뭇잎.

㉑ ○○도 다 지기 전 연습 삼아 쬐끔 온다

❷

굵고 탐스럽게 내리는 눈.

㉑ 머잖아 ○○○이다 알리면서 쬐끔 온다

❸

겨우내 먹기 위하여 김치를 한꺼번에 많이 담그는 일. 또는 그렇게 담근 김치.

㉑ 춥기 전 겨울옷도 ○○도 준비해야지

시조 「첫눈」
듣기

첫눈

신현득

스스로 독해

시조의 종장 첫 부분의 글자 수는 몇 글자여야 할까요? ( ) 속 낱말을 색칠해 보고, 몇 글자인지 세어 보아요.

첫눈은 첫눈이라 연습 삼아 쬐끔 온다
㉠ 낙엽도 다 지기 전 연습 삼아 쬐끔 온다
머잖아 함박눈이다 알리면서 쬐끔 온다

벌레 알 잠들어라 씨앗도 잠들어라
춥기 전 겨울옷도 김장도 준비해야지
그 소식 미리 알리려 첫눈은 서너 송이

어휘 풀이

- **첫눈** 그해 겨울이 시작된 후 처음으로 내리는 눈. 예 올해는 첫눈이 늦게 내렸다.
- **낙엽** |떨어질 낙 落, 나뭇잎 엽 葉| 말라서 떨어진 나뭇잎.
- **함박눈** 굵고 탐스럽게 내리는 눈. 예 밤새 함박눈이 펑펑 내렸다.
- **김장** 겨우내 먹기 위하여 김치를 한꺼번에 많이 담그는 일. 또는 그렇게 담근 김치.
  예 아빠의 지휘 아래 가족 모두가 협력해 김장을 하였다.
- **송이** 꼭지에 달린 꽃이나 열매 따위를 세는 단위.
  예 엄마는 꽃묶음에서 장미 한 송이를 골라 병에 꽂아 두셨다.

▲ 낙엽

1 이 시조에 나타난 계절은 무엇인가요? (   )

이해

   ① 늦봄   ② 초여름   ③ 한여름   ④ 초가을   ⑤ 초겨울

2 스스로 독해 해결! 서술형

표현

다음 대화를 읽고, ㉠에서 시조의 형식을 지키기 위해 종장 첫 부분을 어떻게 표현하였는지 쓰세요.

시조는 마지막 행인 종장 첫 부분의 글자 수를 항상 세 글자로 맞추어야 해.

그래서 ㉠ 부분에서 글자 수를 맞추기 위해 '머지않아'를 줄여서 _____

힌트   시조의 종장 첫 부분은 지켜야 하는 글자 수가 있어요. 이 시조에 쓰인 말을 통해 몇 글자로 정해져 있는지 알아봐요.

3 이 시조를 읽고 떠올리기 알맞은 경험에 ◯표를 하세요.

이해

(1) 떨어지는 낙엽을 보고 아쉬워했던 경험 (   )

(2) 조금씩 내리는 첫눈을 보고 반가워했던 경험 (   )

4 이 시조의 내용을 정리하여 빈칸에 알맞은 말을 각각 쓰세요.

요약

❶ _____ 은 낙엽도 다 지기 전에 연습 삼아 쬐끔 오고, 머잖아 함박눈이다 알리면서 쬐끔 온다.

벌레 알과 ❷ _____ 은 잠들고, 춥기 전에 겨울옷과 ❸ _____ 도 준비하라는 소식을 미리 알리려 서너 송이 내린다.

1 우리말에는 눈을 뜻하는 여러 가지 낱말이 있어요. 다음 대화를 읽고 밑줄 그은 낱말에 알맞은 뜻을 찾아 각각 선으로 이으세요.

> 어제 이번 겨울 첫눈 내린 것 봤어? 가랑눈이라 금방 녹아 없어졌어.

> 나는 펑펑 내려서 쌓이는 함박눈이 좋은데 아쉬웠어.

(1) 첫눈 •

(2) 가랑눈 •

(3) 함박눈 •

• ① 굵고 탐스럽게 내리는 눈.

• ② 조금씩 잘게 내리는 눈.

• ③ 그해 겨울이 시작된 후 처음으로 내리는 눈.

2 다음 밑줄 그은 '삼아'를 바르게 소리 내어 읽은 사람은 누구인지 이름에 ○표를 하세요.

> 첫눈은 첫눈이라 연습 삼아 쬐끔 온다

> 첫눈이 연습 삼아[사마] 온다고 생각하다니 재미있어.
>
> 현호

> 나도 첫눈이 연습 삼아[삼마] 온다는 표현이 가장 기억에 남아.
>
> 수영

힌트
받침이 있는 글자 뒤에 모음자가 오면 받침이 모음자에 이어져서 소리 나요.

▶정답 및 해설 22쪽

◉ 예전에는 겨울을 준비하는 모습들이 지금과는 조금 달랐어요. 겨울 준비를 하는 1980년대 동이 네 집의 모습을 살펴보고, 빈 부분에 들어갈 모습으로 알맞은 것에 모두 ○표를 하세요.

▲ 연탄 준비하기　　(1) (　　　　　　　)

▲ 김장 김치 담그기　　(2) (　　　　　　　)

▲ 화단에 꽃 심기　　(3) (　　　　　　　)

 「첫눈」에서 겨울을 준비하라는 소식을 미리 알리려고 첫눈이 내린다는 내용을 떠올리며, **예전에는 겨울을 어떻게 준비하였 는지** 알아봅니다.

문화 교류, 이런 정신으로

공부한 날   월   일

근거를 뒷받침하는
자료에 대해
자세히 알아보기

천재 학습 백과

<u>자료가 근거를 잘 뒷받침하는지</u> 판단하며 글을 읽어 보자!

「문화 교류, 이런 정신으로」를 읽으며 자료가 근거를 잘 뒷받침하는지 판단해 봐요.

근거를 뒷받침하는 자료의 <u>출처가 분명하고 믿을 수 있는</u> 자료인지,

근거의 <u>내용과 관련이 있는지</u> 등을 살펴보면 돼요.

적절한 자료가 뒷받침되지 않는 근거는 믿을 수 없어요.

● 오늘 공부할 글의 그림을 미리 보고, 빈칸에 알맞은 낱말을 보기 에서 각각 찾아 쓰세요.

보기

교류　　　개량　　　외래문화　　　고유문화

❶

문화나 사상 따위가 서로 통함.
예 오늘날은 문화 ○○가 활발하게 이루어지는 시대예요.

❷

고유한 문화가 아닌, 다른 나라에서 들어온 문화.
예 ○○○○를 받아들이는 올바른 태도는 무엇일까요?

❸

나쁜 점을 보완하여 더 좋게 고침.
예 거문고는 중국 진나라에서 들어온 칠현금을 고구려 왕산악이 ○○한 것이에요.

거문고와 가야금에 대해 더 알아보기

문화 교류, 이런 정신으로

스스로 독해

이 글에서는 주장에 대한 근거를 뒷받침하기 위해 어떤 자료를 활용하였나요? 점선 부분을 따라 선을 그으며 자료가 근거를 잘 뒷받침하는지 살펴봐요.

　오늘날과 같이 문화 교류가 활발하게 이루어지는 시대에 외래문화를 받아들이는 올바른 태도는 무엇일까요?

　무엇보다 우리 문화에 대한 이해와 자부심을 바탕으로 우리 문화 발전에 도움이 되는 것을 가려서 받아들이는 태도가 중요합니다. 그렇다고 우리 문화만이 세계 최고라는 지나친 자부심으로 외래문화를 무턱대고 거부해서는 안 되겠지요. 문화란 서로 영향을 주고받으면서 변화하고 발전하기 때문이에요.

　오늘날 우리가 고유문화라고 하는 것도 그 뿌리를 찾아보면 중국을 비롯한 다른 나라의 영향을 받은 경우가 많습니다. ㉠「예를 들면, 우리가 고유의 전통 악기로 알고 있는 가야금과 거문고는 사실은 외래 악기를 개량한 것입니다. 이것에 대한 내용은 『삼국사기』에 나오는데, 거문고는 중국 진나라에서 들어온 칠현금을 고구려 왕산악이 ㉡개량한 것이고, 가야금은 가야국의 왕이 당나라의 악기를 보고 만들었다는 기록이 전해지고 있습니다.」 이것은 남의 것을 받아들여 우리 것으로 거듭나는 데 성공한 예이지요.

　이처럼 외래문화를 받아들이고 발전시켜 우리의 문화를 더 풍요롭게 할 수도 있습니다. 이를 위해 먼저, 우리 문화에 대한 이해와 자부심을 바탕으로 우리 문화 발전에 도움이 될 외래문화를 가려서 받아들이는 태도를 가져야 하겠습니다.

어휘 풀이

▼**교류**|사귈 교 交, 흐를 류 流| 문화나 사상 따위가 서로 통함. 예 서양과의 문화 교류를 통해 우리에게 많은 변화가 있었다.

▼**외래문화**|바깥 외 外, 올 래 來, 글월 문 文, 될 화 化| 고유한 문화가 아닌, 다른 나라에서 들어온 문화.
　예 무분별한 외래문화의 수입을 조심해야 한다.

▼**자부심**|스스로 자 自, 짐 질 부 負, 마음 심 心| 자기 자신 또는 자기와 관련되어 있는 것에 대하여 스스로 그 가치나 능력을 믿고 당당히 여기는 마음. 예 대회에서 우리나라 선수들의 활약에 자부심이 생겼다.

▼**무턱대고** 잘 헤아려 보지도 아니하고 마구. 예 동이는 무턱대고 큰소리를 쳤다.

▼**개량**|고칠 개 改, 어질 량 良| 나쁜 점을 보완하여 더 좋게 고침. 예 그는 농산물의 품질 개량에 힘썼다.

▼**거듭나는** 지금까지의 방식이나 태도를 버리고 새롭게 시작하는. 예 우리 반은 새롭게 거듭나는 중이다.

서술형

1 외래문화를 무턱대고 거부해서는 안 되는 까닭을 쓰세요.

이해

> 문화란 서로 영향을 주고받으면서 ＿＿＿＿＿＿＿＿＿＿＿＿＿ 때문이다.

스스로 독해 해결!

2 다음 중 ㉠「　」이 근거를 뒷받침하는 적절한 자료인지를 바르게 판단하여 말한 사람의 이

유추 름에 ○표를 하세요.

『삼국사기』에 나오는 가야금과 거문고 이야기는 외래문화를 잘 받아들여 우리 문화로 발전시킨 것이니까 이 글의 근거를 뒷받침하는 자료로 적절해.

지니

가야금과 거문고가 외래 악기를 개량한 것이라는 이야기의 출처를 정확히 제시하지 못했으니 근거를 뒷받침하는 자료로는 적절하지 않아.

다현

3 다음 중 ㉡'개량'과 뜻이 비슷한 낱말을 골라 ○표를 하세요.

어휘

힌트
개량과 바꾸어 써도 뜻이 통하는 낱말을 찾아봐요.

(1) 수리: 고장 나거나 허름한 데를 손보아 고침. (　　　)

(2) 개선: 잘못된 것이나 부족한 것, 나쁜 것 따위를 고쳐 더 좋게 만듦. (　　　)

4 이 글의 내용을 정리하여 빈칸에 알맞은 말을 각각 쓰세요.

요약

주장	우리 문화에 대한 이해와 자부심을 바탕으로 우리 문화 발전에 도움이 되는 ❶　　　　 문화를 가려서 받아들이는 태도를 가져야 한다.
근거	오늘날 우리가 고유문화라고 하는 것도 그 뿌리를 찾아보면 중국을 비롯한 다른 나라의 ❷　　　　 을 받은 경우가 많다.
근거를 뒷받침하는 자료	우리가 고유의 전통 악기로 알고 있는 가야금과 거문고는 사실 외래 악기를 개량한 것으로, 이에 대한 내용이 『❸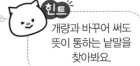』 에 나온다.

1 다음 빈칸에 들어갈 말로 알맞은 것을 **보기** 에서 찾아 쓰세요.

> **보기**
>
> **외래문화** 고유한 문화가 아닌, 다른 나라에서 들어온 문화.
>
> **고유문화** 어떠한 나라나 민족이 본래 가지고 있는 독특한 문화.

(1)

김치는 외국에도 널리 알려진 우리나라의 대표적인 음식으로, 세계에 자랑할 수 있는 자랑스러운

☐☐☐☐ 이다.

(2)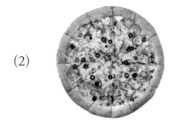

이탈리아 하면 떠오르는 피자는 우리 음식 문화를 풍요롭게 해 준 ☐☐☐☐ 이다.

> **힌트**
> 고유문화와 외래문화는 본래 우리가 가지고 있던 문화인지, 다른 나라에서 들어온 문화인지에 따라 나뉘어요.

2 「문화 교류, 이런 정신으로」에 쓰인 '거부'와 뜻이 비슷한 낱말과 뜻이 반대인 낱말을 **보기** 에서 각각 찾아 쓰세요.

> **보기**
>
> 질문   승낙   거절   거래

> 우리 문화만이 세계 최고라는 지나친 자부심으로 외래문화를 무턱대고 거부해서는 안 되겠지요.
>
> 요구나 제의 따위를 받아들이지 않고 물리침.

(1) '거부'와 뜻이 비슷한 낱말: (   )

(2) '거부'와 뜻이 반대인 낱말: (   )

● 아라와 톰은 세계 문화 축제가 열리고 있는 공원에 왔어요. 톰은 우리나라의 고유문화에 관심이 많은데, 보고 싶은 공연의 이름을 잘 몰라요. 다음 질문과 대답을 읽고 톰이 보고 싶어 하는 공연이 다음 네 가지 공연 중 무엇인지 맞혀 빈칸에 알맞은 말을 쓰세요.

▲ 외줄타기

▲ 사물놀이

▲ 판소리

▲ 탈춤

	질문	대답
1	보고 싶은 공연이 가면(탈)을 쓰고 하는 공연인가요?	아니에요. 가면은 쓰지 않아요.
2	그럼 아슬아슬 높은 줄 위에서 뛰거나 달리는 공연인가요?	아니에요. 저는 아슬아슬한 공연은 잘 못 봐요.
3	보고 싶은 공연에 악기가 쓰이나요?	맞아요. 악기가 있어요.
4	몇 명이서 공연을 하나요?	노래를 하는 사람과 북을 치는 사람, 그렇게 두 명이서 공연을 해요.
5	꽹과리, 장구, 징을 치며 공연하지는 않았나요?	북 말고 다른 악기는 없었어요.
	보고 싶은 공연이 [ ]인가요?	맞아요. 바로 그거예요.

 톰이 보고 싶어 하는 공연은 [   ]예요.

 「문화 교류, 이런 정신으로」를 읽고 우리 문화를 알리고 외래문화를 받아들이는 일에 대해 생각해 보고, 톰이 보고 싶어 하는 전통 공연을 맞혀 보며 **우리나라의 공연 문화**에 대해 알아봅니다.

맛있는 과일 고르기

공부한 날   월   일

중요한 내용을 메모하며 글을 읽자!

글에서 중요한 내용을 짧게 메모하며,

「맛있는 과일 고르기」를 읽어 보세요.

그리고 자신이 메모한 내용을 가지고 맛있는 과일을

직접 골라 보며 중요한 내용을 잘 적었는지 확인해 보세요.

● 오늘 공부할 글의 사진을 미리 보고, 빈칸에 알맞은 낱말을 찾아 쓰세요.

| 가격 | 당도 | 냄새 | 빛깔 |

사과, 배, 포도 등 과일의 향과 ❶   , 무게 등을 살펴보면 어떤 과일이
                                                ↳빛을 받아 나타나는 물체의 색.

❷   가 높고 맛있는 과일인지 알 수 있어요.
           ↳음식물의 단맛의 정도.

맛있는 과일 고르는 방법을 자세히 알아볼까요?

과일에 대해
더 알아보기

스스로 독해

이 글은 어떤 유용한 정보를 싣고 있나요? 점선 부분을 따라 선을 그으며 글의 내용을 확인하고, 중요한 내용을 메모해 봐요.

천재일보 · 생활 상식

맛있는 과일 고르기

◎ 달콤한 사과 고르기

달고 맛있는 사과는 꼭지 부분의 색이 ㉠골고루 잘 들어 있고 밝은 느낌이 나요. 향을 맡았을 때 향기가 강하지 않고 은은한 것이 좋고, 들었을 때 묵직한 느낌이 들고 단단한 것이 좋아요. 색은 전체적으로 고르게 붉은 빛깔이 돌고, 꼭지가 붙어 있는 것이 좋답니다.

◎ 시원하고 맛있는 배 고르기

배는 전체적으로 노란빛이 도는 것이 좋아요. 만졌을 때 껍질이 얇고 단단하며 겉면의 오돌토돌한 점이 큼직한 것이 당도가 높답니다. 그리고 꼭지의 반대편 부위를 살펴보았을 때 얇은 검은색의 균열이 없는 것을 고르세요.

◎ 새콤달콤 포도 고르기

포도는 껍질 색이 진하고 알이 굵은 것이 맛있어요. 송이의 크기가 너무 크거나 알이 지나치게 많은 것보다는 송이의 크기가 적당한 것을 고르세요. 포도알 겉에 묻은 하얀 가루는 먼지가 아니고, 당분이 흘러나온 것이니 안심하고 먹어도 돼요.

어휘 풀이

▼ **은은**|숨을 은 隱, 숨을 은 隱|한   냄새가 진하지 않고 그윽한. 예 병에서 은은한 사과 향이 난다.

▼ **고르게**   여럿이 다 높낮이, 크기, 양 따위의 차이가 없이 한결같게. 예 아이들에게 사탕을 고르게 나눠 주었다.

▼ **빛깔**   빛을 받아 나타나는 물체의 색. 예 한복의 빛깔이 참 곱다.

▼ **오돌토돌**   거죽이나 바닥이 고르지 않게 군데군데 도드라져 있는 모양. 예 온몸에 오돌토돌 소름이 돋았다.

▼ **당도**|사탕 당 糖, 법도 도 度| 음식물의 단맛의 정도. 예 이 가게는 모든 과일의 당도를 검사한다.

▼ **균열**|터질 균 龜, 찢을 열 裂| 거북의 등에 있는 무늬처럼 갈라져 터짐. 예 벽에 균열이 생겼다.

1
어휘

다음 중 ㉠'골고루'는 어떤 낱말의 줄임 말인지 알맞은 것을 골라 낱말에 ○표를 하세요.

고루고루	여럿이 다 차이가 없이 엇비슷하거나 같게.
고래고래	몹시 화가 나서 남을 꾸짖거나 욕을 할 때 목소리를 한껏 높여 시끄럽게 외치거나 지르는 모양.

힌트
㉠'골고루'의 뜻을 짐작해 보거나 낱말의 짜임에서 어떤 낱말의 줄임 말인지 짐작해 보세요.

2
이해

서술형

이 글은 무엇에 대해 설명하는 글인지 쓰세요.

방법에 대한 내용이다.

3
이해

다음 중 이 글을 읽고 맛있는 과일을 알맞게 고른 사람의 이름에 ○표를 하세요.

연주: 나는 향기가 은은하고 묵직한 느낌의 사과를 골랐어. 색도 고르게 붉은 빛깔이 도는 게 아주 맛있어 보여.
성호: 나는 껍질 색이 연하고 알이 작은 포도를 골랐어. 송이도 정말 크고 알이 많이 달려서 풍성해 보여.

4
요약

스스로 독해 해결!

다음은 이 글에서 중요한 내용을 메모한 것이에요. 빈칸에 알맞은 말을 각각 쓰세요.

사과	• 꼭지 부분의 색이 골고루 잘 들고, 밝은 느낌이 나는 것 • 향기가 은은하고, 들었을 때 묵직한 느낌이 들고 ❶ 것 • 색은 전체적으로 고르게 붉은 빛깔이 돌고, 꼭지가 붙어 있는 것
배	• 전체적으로 ❷ 이 도는 것 • 껍질이 얇고 단단하며 겉면의 오돌토돌한 점이 큼직한 것 • 꼭지의 반대편 부위에 검은색 균열이 없는 것
포도	• 껍질 색이 진하고 알이 굵은 것 • ❸ 의 크기가 적당한 것

1 빈칸에 들어갈 느낌을 나타내는 낱말로 알맞은 것을 보기 에서 각각 골라 쓰세요.

보기

| 굵은 | 은은한 | 묵직한 | 널찍한 |

(1) 우리 집 꽃밭에서 _____ 꽃향기가 난다.

(2) 가방을 들었더니 무거운 책이 많아서 _____ 느낌이 들었다.

2 다음 밑줄 그은 낱말의 뜻과 그 낱말을 사용한 예로 알맞은 것에 ○표를 하세요.

색은 전체적으로 고르게 붉은 빛깔이 돌고, 꼭지가 붙어 있는 것이 좋답니다.

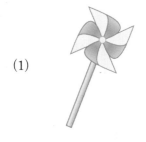

(1) 물체가 일정한 축을 중심으로 원을 그리면서 움직이고.
예 바람개비가 쉼 없이 돌고 있다.

(   )

(2) 어떤 기운이나 빛이 겉으로 나타나고.
예 아기는 기분이 좋은지 입가에 웃음이 돌고 있다.

(   )

힌트
'돌다'는 여러 가지 뜻을 가진 다의어예요. 그중에서 제시된 '돌고'의 뜻으로 알맞은 것을 찾아보아요.

● 수호는 아주머니들께서 말씀하시는 내용을 듣고, 맛있게 잘 익은 과일을 각각 팻말에 써진 금액만큼 사려고 해요. 수호는 어떤 과일을 사고, 모두 얼마를 냈을지 빈칸에 각각 쓰세요.

 수호는 잘 익은 (1) ( )와 (2) ( )를 사고, 계산대에서
(3) ( )원을 냈어요.

🐻 「맛있는 과일 고르기」의 내용을 떠올리며 아주머니들을 따라 맛있는 과일을 고르고, 얼마를 내면 되는지 **과일값을 더하여 계산**해 봅니다.

[1~3] 다음 글을 읽고, 물음에 답하세요.

나는 아주 오래전부터 미드웨이섬에 살았고, 태평양이 주는 먹이를 먹었어요. 내가 ㉠ 새끼들도, 그리고 그 새끼의 새끼들도 바다가 주는 먹이를 먹으며 자랐지요. 바다는 언제나 풍요로운 곳이었어요.

그런데 이제 어디에서 먹이를 찾아야 할지 모르겠어요. 먹이가 있는 곳에는 사람들의 낚싯바늘이 있고, 그렇지 않은 곳에는 플라스틱 조각들만 떠다니고 있으니까요.

1 ㉠ 안에 들어갈 알맞은 말을 골라 ○표를 하세요.

(나은 , 낳은)

2 '나'에게 닥친 문제는 무엇인지 알맞은 것에 ○표를 하세요.

(1) 기후 변화로 미드웨이섬이 물에 잠기게 되었다. ( )

(2) 사람들 때문에 바다에서 먹이를 구하기 어렵게 되었다. ( )

3 '나'에게 닥친 문제를 해결하기 위한 토의 주제를 보기 에서 찾아 기호를 쓰세요.

> **보기**
> ㉮ 바다 자원을 어떻게 활용할까?
> ㉯ 바다의 오염을 막으려면 어떻게 해야 할까?

( )

[4~5] 다음 글을 읽고, 물음에 답하세요.

식충 식물은 곤충과 같은 작은 동물을 잡아먹고 사는 식물을 말하는데, '벌레잡이 식물'이라고도 하지. ㉠예를 들어, 대표적인 식충 식물로는 끈끈이주걱, 파리지옥 등이 있어.

끈끈이주걱의 잎은 그 이름처럼 주걱 모양을 하고 있는데, 잎 가장자리에 '선모'라고 하는 가느다란 털이 잔뜩 돋아 있어. 선모 끝에는 점액이 달려 있지. 끈끈이주걱이 곤충을 사냥하는 무기가 바로 이 점액이야.

4 ㉠에서 사용한 설명 방법으로 알맞은 것에 ○표를 하세요.

(1) 예를 들어 설명하였다. ( )

(2) 두 대상의 공통점과 차이점을 설명하였다. ( )

(3) 전체를 여러 부분으로 나누어 설명하였다. ( )

5 끈끈이주걱에 대한 설명으로 알맞지 않은 것은 무엇인가요? ( )

① 잎은 바늘 모양이다.
② 곤충을 잡아먹고 산다.
③ 점액으로 곤충을 사냥한다.
④ 선모 끝에 점액이 달려 있다.
⑤ 잎 가장자리에 가느다란 털이 돋아 있다.

▶ 정답 및 해설 24쪽

6 다음 밑줄 그은 말을 소리 나는 대로 쓰세요.

> 첫눈은 첫눈이라 연습 삼아 쬐끔 온다

[   ]

7 다음 ㉠~㉢ 중 글쓴이의 주장을 골라 기호를 쓰세요.

> ㉠오늘날과 같이 문화 교류가 활발하게 이루어지는 시대에 외래문화를 받아들이는 올바른 태도는 무엇일까요?
>
> ㉡무엇보다 우리 문화에 대한 이해와 자부심을 바탕으로 우리 문화 발전에 도움이 되는 것을 가려서 받아들이는 태도가 중요합니다. 그렇다고 우리 문화만이 세계 최고라는 지나친 자부심으로 외래문화를 무턱대고 거부해서는 안 되겠지요. 문화란 서로 영향을 주고받으면서 변화하고 발전하기 때문이에요.
>
> ㉢오늘날 우리가 고유문화라고 하는 것도 그 뿌리를 찾아보면 중국을 비롯한 다른 나라의 영향을 받은 경우가 많습니다. 예를 들면, 우리가 고유의 전통 악기로 알고 있는 가야금과 거문고는 사실은 외래 악기를 개량한 것입니다.

(   )

[8~10] 다음 글을 읽고, 물음에 답하세요.

> ◎ 달콤한 ㉠ 고르기
>
>
>
> 달고 맛있는 사과는 꼭지 부분의 색이 골고루 잘 들어 있고 밝은 느낌이 나요. 향을 맡았을 때 향기가 강하지 않고 은은한 것이 좋고, 들었을 때 묵직한 느낌이 들고 단단한 것이 좋아요. 색은 전체적으로 고르게 붉은 빛깔이 ㉡돌고, 꼭지가 붙어 있는 것이 좋답니다.

8 ㉠ 안에 들어갈 알맞은 과일을 쓰세요.

(   )

9 이 글을 읽고 중요한 내용을 잘못 적은 것을 골라 기호를 쓰세요.

> 달고 맛있는 사과
> ㉮ 향기가 강한 것
> ㉯ 밝은 느낌이 나는 것
> ㉰ 꼭지가 붙어 있는 것
> ㉱ 들었을 때 묵직한 느낌이 드는 것

(   )

10 밑줄 그은 말이 ㉡과 같은 뜻으로 쓰인 문장을 골라 ○표를 하세요.

(1) 달이 지구 주위를 돌고 있다.   (   )

(2) 친구 얼굴에 생기가 돌고 기운이 넘친다.

(   )

창의
1 다음 만화를 읽고, 3주차에서 배운 낱말을 떠올려 어휘 퀴즈에 알맞은 낱말을 빈칸에 각각 쓰세요.

3주
특강

🐻 어휘 퀴즈

❶ '거북의 등에 있는 무늬처럼 갈라져 터짐.'을 뜻하는 말은? →

❷ '생물체의 몸에서 나오는 끈끈한 성질을 가진 액체.'를 뜻하는 말은? →

❸ '농기구를 ○○하여 농산물 생산을 늘렸다.'의 빈칸에 들어갈 알맞은 말은? →

융합 2

「위즈덤의 편지」를 읽고, 바다로 흘러들어 간 플라스틱이 사람에게 어떤 영향을 미치는지 알아보았어요. 그림을 잘 보고, 한 사람이 일 년 동안 섭취하는 플라스틱 양은 몇 그램인지 빈칸에 숫자로 쓰세요.

바다로 흘러들어 간
플라스틱 물체들

햇빛과 파도 등에 의해 잘게
부서진 플라스틱 조각들

먹이 사슬의 최종 소비자인 사람
몸속에 들어간 미세 플라스틱

잘게 부서진 미세 플라스틱을
먹이로 착각하고 먹는 물고기들

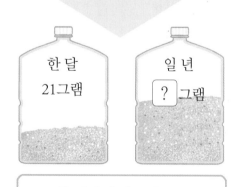

한 달
21그램

일 년
? 그램

한 사람이 평균적으로
섭취하는 미세 플라스틱의 양

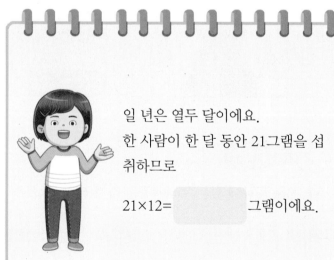

일 년은 열두 달이에요.
한 사람이 한 달 동안 21그램을 섭
취하므로

$21 \times 12 =$ ⬜ 그램이에요.

코딩

3 「맛있는 과일 고르기」를 읽고, 민재가 맛있는 과일을 사 왔어요. 코딩 명령을 보고 민재가 과일을 누구에게 가져다주었을지 알맞은 사람에게 ◯표를 하세요.

창의
4

생활 어휘

국제선 비행기 탑승 절차를 보고 알맞은 낱말에 각각 ○표를 하세요.

국제선 비행기 탑승 절차

오늘도 저희 ○○ 공항을 이용해 주시는 고객님들께 감사 드리며, 안전한 비행기 탑승을 위해 다음 절차를 따라 주시기 바랍니다.

외국으로 가는 비행기를 탈 때 주의할 점이 쓰여 있어.

1. 탑승 수속	2. 세관 신고
여권과 비자 등을 확인하고 탑승권을 받은 뒤 짐을 부칩니다.	값비싼 물건이나 큰 금액의 외국 돈이 있을 때에 신고합니다.

3. 출국장 이동	4. 보안 검색
준비가 끝나면 출국장 안으로 이동합니다.	위험하거나 가져갈 수 없는 물품이 있는지 검사합니다.

5. 출국 심사	6. 비행기 탑승
절차에 따라 출국이 가능한지를 심사 받습니다.	항공사 직원의 안내에 따라 탑승합니다.

비행기를 타려면 무엇이 필요한지 살펴보자.

얘들아! 비행기에 (1) (타는 , 내리는) 것을 탑승이라고 해. 외국에 가려면 그 사람의 신분이나 국적을 증명하고, 여행하는 나라에 그 사람의 보호를 맡기는 문서인 (2) (통장 , 여권)이 필요하니 잘 챙겨 와.

어휘 풀이

▼ **탑승**|탈 탑 搭, 탈 승 乘|　배나 비행기, 차 따위에 올라탐. 예 배의 탑승 시간은 1시입니다.

▼ **수속**|손 수 手, 이을 속 續|　어떤 일을 수행하거나 처리하기 전에 거쳐야 할 과정이나 단계.
　예 아빠의 병이 다 나으셔서 퇴원 수속을 밟기로 하였다.

▼ **여권**|나그네 여 旅, 문서 권 券|　외국을 여행하는 사람의 신분이나 국적을 증명하고 상대국에 그 보호를 의뢰하는 문서.

▼ **비자**　국가가 외국인에 대하여 출입국을 허가하는 증명. 예 중국에 가려면 비자를 받아야 한다.

▲ 여권

3주

특강

창의 5

생활 한자

事(일 사) 자에 대해 알아보고, 다음 물음에 답하세요.

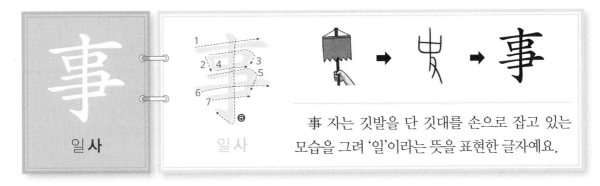

事 자는 깃발을 단 깃대를 손으로 잡고 있는 모습을 그려 '일'이라는 뜻을 표현한 글자예요.

(1) 事 자가 들어간 낱말을 알아보고, 한자의 음을 쓰세요.

① 오늘 뜻밖의 事件이 있었다.

건

힌트

98쪽에서 공부한 '무사히'에 쓰인 事(일 사) 자에 대해 알아봐요.

② 동생이 말한 이야기는 모두 事實이었다.

실

(2) 한자 성어의 뜻을 알아보고, 빈칸에 알맞은 한자를 쓰세요.

네가 이번에 일 등이라는 소문이 사실이니?

아냐.

事 實 無 根
일 사　열매 실　없을 무　뿌리 근

근거가 없거나 사실과 전혀 다름.

• 내가 이번 수학 시험에서 일 등을 했다는 소문은 　　實 無 根 (사실무근)이다.

4주에는 무엇을 공부할까? ②

힌트
'울적하고'는 '마음이 답답하고 쓸쓸하고.'라는 뜻의 낱말이에요.

1-1 ☐ 안에 들어갈 알맞은 말을 골라 ○표를 하세요.

"오늘따라 마음이 ☐ 하늘을 쳐다보기가 부끄럽습니다."

울적하고   울쩍하고

1-2 밑줄 그은 말과 뜻이 비슷한 말을 보기 에서 찾아 쓰세요.

보기
서글프고   심심하고

나는 울적하고 쓸쓸한 마음을 달래려고 신나는 음악을 들었다.

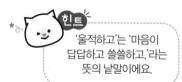
힌트
'울적하고'는 '마음이 답답하고 쓸쓸하고.'라는 뜻의 낱말이에요.

(   )

▶ 정답 및 해설 26쪽

2-1 다음 문장에 넣을 바른 낱말을 골라 ◯표를 하세요.

나는 돌을 (딛고 , 딪고) 자전거에 올
라섰다.

2-2 밑줄 그은 낱말이 바르게 쓰인 문장을 골라 ◯표를 하세요.

(1) 아기가 땅에 발을 딪고 일어
섰다.

(   )

(2) 바위에 한쪽 발을 딛고 사진
을 찍었다.

(   )

> **힌트**
> '딛고'는 '발을 올려놓고 서거나 바로
> 내리누르고.'라는 뜻의 낱말이에요.
> '딪고'는 잘못된 표현이에요.

홍길동전

「홍길동전」에 대해
자세히 알아보기

천재 학습 백과

이야기에 나타난 시대 상황을 파악해라!

「홍길동전」은 조선 시대를 배경으로 하는 이야기예요.

시대적 배경을 알 수 있는 말을 찾아보거나, 주인공 홍길동이 처한 상황을 자세히 살펴보고

이 이야기에 나타난 시대의 상황을 파악해 보아요.

● 오늘 공부할 글과 그림을 미리 보고, 알맞은 낱말을 각각 찾아 표시하세요.

길동은 비록 서자였으나 그 재주가 무척 뛰어났다. 이 때문에 홍 판서는 길동을 볼 때마다 한숨을 내쉬곤 했다.

"첩의 자식만 아니라면 가문을 빛낼 아이거늘……."

서자라서 벼슬을 할 수 없는 길동은 늦은 밤까지 검술을 익히는 것으로 마음을 달랬다.

1 '양반과 양반이 아닌 여성 사이에서 낳은 아들.'이라는 뜻의 낱말을 찾아 ○표를 하세요.

2 '가족 또는 가까운 일가로 이루어진 공동체.'라는 뜻의 낱말을 찾아 △표를 하세요.

3 '검을 가지고 싸우는 기술.'이라는 뜻의 낱말을 찾아 □표를 하세요.

홍길동에 대해
더 알아보기

홍길동전

허균

스스로 독해

이 이야기에서 알 수 있는 시대 상황은 무엇인가요? 점선 부분을 따라 선을 그으며 읽어 보고 답을 생각해 보세요.

조선 때의 일이다. 이조 판서 홍 아무개에게는 길동이라는 아들이 있었다. 길동은 비록 서자였으나 그 재주가 무척 뛰어났다. 이 때문에 홍 판서는 길동을 볼 때마다 한숨을 내쉬곤 했다.

"㉠첩의 자식만 아니라면 가문을 빛낼 아이거늘……."

서자라서 벼슬을 할 수 없는 길동은 늦은 밤까지 검술을 익히는 것으로 마음을 달랬다.

어느 날 밤, 마당을 거닐던 홍 판서는 달빛 아래에서 칼을 휘두르고 있는 길동을 보고 물었다.

"밤이 늦었는데, 어찌 자지 않고 나와 있는 게냐?"

"오늘따라 마음이 울적하고 하늘을 쳐다보기가 부끄럽습니다."

홍 판서는 나이 어린 길동이 하는 말이 어이없었다.

"어찌하여 그렇단 말이냐?"

"아버지를 아버지라, 형을 형이라 부르지 못하는데 어찌 사람이라 하겠습니까?"

길동의 말에 홍 판서는 불쌍한 마음이 들었으나 모른 척하고 오히려 꾸짖었다.

"양반 집안에 첩의 자식이 너뿐만이 아니거늘 어찌 그런 말을 입에 담느냐?"

길동은 서러운 마음에 잠을 이룰 수가 없었다.

어휘 풀이

▼ **서자**|여러 서 庶, 아들 자 子| 양반과 양반이 아닌 여성 사이에서 낳은 아들. 예 서자는 차별을 받았다.

▼ **첩**|첩 첩 妾| 정식 아내 외에 데리고 사는 여자. 예 옛날에는 많은 양반이 첩을 두었다.

▼ **가문**|집 가 家, 문 문 門| 가족 또는 가까운 일가로 이루어진 공동체. 또는 그 사회적 지위. 예 훌륭한 가문에서 태어나다.

▼ **검술**|칼 검 劍, 꾀 술 術| 검을 가지고 싸우는 기술. 예 검술이 뛰어난 무사가 적을 향해 돌진했다.

▼ **울적**|막힐 울 鬱, 고요할 적 寂|하고 마음이 답답하고 쓸쓸하고. 예 시험 걱정에 마음이 울적하고 한숨이 나왔다.

▶정답 및 해설 26쪽

1
어휘

㉠을 나타내는 말은 무엇인가요? (   )

① 벼슬   ② 가문   ③ 검술

④ 판서   ⑤ 서자

2
이해

서술형

길동의 마음이 울적한 이유를 쓰세요.

　　길동은 _____, 형을 형이라 부르지 못하기 때문에 마음이 울적하고 하늘을 쳐다보기가 부끄러웠다.

힌트
길동이 "어찌 사람이라 하겠습니까?"라고 말한 까닭을 생각해 보세요.

4주
1일

3
유추

스스로 독해 해결!

이 이야기에 나타난 시대 상황을 알맞게 짐작한 친구를 찾아 ○표를 하세요.

"양반 집안에 첩의 자식이 너뿐만이 아니거늘"이라는 말로 보아 당시에는 양반 집안에 첩이 많지 않았던 것 같아.

정우

"서자라서 벼슬을 할 수 없는 길동"이라는 부분으로 보아 당시에는 벼슬을 할 수 있는 신분이 정해져 있었던 것 같아.

하윤

4
요약

이 이야기의 내용을 정리하여 빈칸에 알맞은 말을 각각 쓰세요.

　　조선 시대에 홍 판서의 아들인 길동은 ❶　　　　　　　로 태어나 여러 가지 차별을 받았다. 마음이 울적해진 ❷　　　　　　　은 늦은 밤까지 검술을 익혔고, 홍 판서는 그런 길동에게 ❸　　　　　　　마음이 들었지만 오히려 꾸짖었다. 길동은 서러운 마음에 잠을 이루지 못했다.

1 다음 문장에서 바르게 쓴 낱말을 골라 각각 ◯표를 하세요.

(1) 길동은 비록 서자였으나 그 재주가 무척 (띄어났다 , 뛰어났다).

(2) 홍 판서는 나이 어린 길동이 하는 말이 (어이 , 어의)없었다.

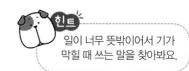
힌트
일이 너무 뜻밖이어서 기가 막힐 때 쓰는 말을 찾아봐요.

2 보기 에서 낱말의 뜻을 살펴보고 아래의 문장을 바르게 띄어쓰기한 것에 ◯표를 하세요.

보기

척하다   앞말이 뜻하는 행동이나 상태를 거짓으로 그럴듯하게 꾸밈을 나타내는 말.

홍판서는모른척하고오히려길동을꾸짖었다.

(1) 홍∨판서는∨모른척하고∨오히려∨길동을∨꾸짖었다. (   )
(2) 홍∨판서는∨모른∨척하고∨오히려∨길동을∨꾸짖었다. (   )

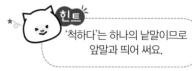
힌트
'척하다'는 하나의 낱말이므로 앞말과 띄어 써요.

3 다음 낱말을 소리 나는 대로 쓴 것을 보고, 빈칸에 들어갈 알맞은 낱말을 각각 바르게 쓰세요.

(1) 길동은 늦은 밤까지 검술을 (   )[이키는] 것으로 마음을 달랬다.
(2) 오늘따라 마음이 (   )[울쩌카고] 하늘을 쳐다보기가 부끄럽습니다.

● 길동이 검술 연습을 하고 있어요. 길동이 살던 시대 상황과 맞지 않는 모습을 한 길동을 모두 찾아 ○표를 하고, 기호가 어떤 글자를 나타내는지 찾아서 길동의 소원을 쓰세요.

4주
1일

기호	❀	✦	✤	✿	🌿	❈
나타내는 글자	아	자	버	너	기	지

길동의 소원은

를

라고 부르는 거예요.

「홍길동전」의 내용을 떠올리며 **시대 상황**과 어울리지 않는 길동의 모습을 찾아보고 길동의 소원을 알아봅니다.

풍등은 어떻게 떠오를까?

공부한 날   월   일

자료의 종류에
대해 자세히
알아보기

천재 학습 백과

그림 자료가 전하는 내용을 파악해라!

「풍등은 어떻게 떠오를까?」는 풍등이 뜨는 과정을

그림 자료를 활용하여 설명한 글이에요.

그림 자료가 글의 어떤 내용을 구체적으로 나타냈는지 살펴보고,

그림 자료가 알려 주는 내용을 정리해 보세요.

● 오늘 공부할 글의 그림을 미리 보고, 빈칸에 알맞은 낱말을 보기 에서 각각 찾아 쓰세요.

보기

기체   차오른다   입자   떠오른다

❶

일정한 모양이나 부피가 없고 널리 퍼지려는 성질이 있어 떠서 돌아다니는 물질.

㉠ 온도가 높아지면 ○○의 움직임이 활발해진다.

❷

물질을 이루는 아주 작은 크기의 물체.

㉠ 온도에 따라 일정 공간에 존재하는 기체 알갱이(공기 ○○) 수도 변한다.

❸

솟아서 위로 오른다.

㉠ 풍등 내부의 공기 무게가 상대적으로 가벼워지게 되고, 점차 위로 ○○○○.

기체에서의 열의
이동에 대해
알아보기

풍등은 어떻게 떠오를까?

스스로 독해

점선 부분을 따라 선을 그으며 읽고, 이 글에서 그림 자료가 설명하려는 내용을 찾아보세요.

　공기도 무게가 있다는 사실, 알고 있니? 공기는 수많은 기체로 이뤄져 있는데, 이 기체의 무게가 곧 공기의 무게야. 온도에 따라 일정 공간에 존재하는 기체 알갱이(공기 입자) 수도 변하는데, 풍등에 불을 붙이면 풍등 내부의 온도가 올라가면서 기체의 움직임이 ㉠점차 활발해져.

　기체 사이의 간격이 멀어지고 기체 밀도가 낮아지면서 외부 공기에 비해 풍등 내부의 공기 무게가 상대적으로 가벼워지고, 점차 위로 떠오르는 거지.

　그럼 풍등이 어떻게 떠오르는지 그 과정을 자세히 살펴볼까?

① 온도가 높아지면 기체의 움직임이 활발해진다.

② 풍등 내 기체 사이 간격이 멀어지고 기체가 차지하는 공간이 넓어진다.

③ 풍등 내 기체 알갱이의 수가 줄어들고 밀도가 낮아진다.

④ 상대적으로 가벼워진 풍등이 위로 떠오른다.

어휘 풀이

▼**기체**|기운 기 氣, 몸 체 體|　일정한 모양이나 부피가 없고 널리 퍼지려는 성질이 있어 떠서 돌아다니는 물질.
　㉠ 공기는 질소, 산소, 이산화 탄소 등으로 구성된 기체이다.

▼**입자**|알 입 粒, 아들 자 子|　물질을 이루는 아주 작은 크기의 물체.
　㉠ 고무풍선은 시간이 지나면 기체를 이루는 입자가 공기 중으로 빠져나와 크기가 줄어든다.

▼**밀도**|빽빽할 밀 密, 법도 도 度|　빽빽이 들어선 정도. ㉠ 기체의 밀도는 액체나 고체에 비해 매우 낮다.

▼**상대적**|서로 상 相, 대답할 대 對, 과녁 적 的|　서로 맞서거나 비교되는 관계에 있는 것.
　㉠ 얼음과 불은 상대적인 특성이 있다.

서술형

1 공기의 무게란 무엇인지 쓰세요.

이해

공기는 수많은 기체로 이뤄져 있는데, 이 _____가 곧 공기의 무게이다.

2 ㉠과 뜻이 비슷한 말을 두 가지 고르세요. (   )

어휘

① 점점   ② 차차   ③ 덥석

④ 가끔   ⑤ 슬쩍

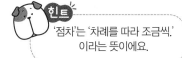

힌트

'점차'는 '차례를 따라 조금씩.' 이라는 뜻이에요.

스스로 독해 해결!

3 이 글의 그림 자료가 설명하는 내용을 찾아 ○표를 하세요.

이해

(1) 풍등이 떠오르는 과정 (   )

(2) 풍등을 잘 만드는 방법 (   )

(3) 풍등을 날릴 때 주의할 점 (   )

4주 2일

4 풍등이 어떻게 떠오르는지 정리하여 빈칸에 알맞은 말을 각각 쓰세요.

요약

풍등에 불을 붙이면 풍등 내부의 온도가 올라가면서 ❶ _____ 의 움직임이 활발해진다.

↓

풍등 내 기체 사이 ❷ _____ 이 멀어지고 기체가 차지하는 공간이 넓어진다.

↓

풍등 내 기체 알갱이 수가 줄어들어 ❸ _____ 가 낮아지고 공기 무게가 상대적으로 가벼워진 풍등은 위로 떠오른다.

1 다음 각 문장에 쓰인 '간격'이 보기 에 쓰인 것과 같은 뜻으로 쓰인 문장의 번호에 ○표를 하세요.

> 보기
>
> 기체 사이의 간격이 멀어지고 기체 밀도가 낮아지게 된다.
> └→ 공간적으로 벌어진 사이.

(1) 기차가 한 시간 **간격**으로 지나간다.

(2) 사람이 많아서 옆 사람과 **간격**을 좁혀 앉았다.

(3) 한동안 연락이 뜸했더니 친구와 **간격**이 생겼다.

> 힌트
> 그림을 살펴보고 낱말이 어떤 뜻으로 사용되었는지 생각해 봐요.

2 다음 문장의 밑줄 그은 낱말과 뜻이 반대되는 말을 보기 에서 각각 찾아 쓰세요.

> 보기
>
> 외부   공간   좁아진다   늘어난다   무거워진다

(1) 풍등 <u>내부</u>의 온도가 올라가면서 기체의 움직임이 활발해진다.

↔

(2) 공기 무게가 상대적으로 <u>가벼워진다</u>.

↔

(3) 기체가 차지하는 공간이 <u>넓어진다</u>.

↔

(4) 기체 알갱이 수가 <u>줄어든다</u>.

↔

▶ 정답 및 해설 27쪽

◉ 풍등은 어떻게 사용되어 왔을까요? 풍등의 역할에 대한 만화를 잘 보고 알맞은 말을 골라 각각 ◯표를 하세요.

 풍등은 과거 전쟁 중에 군과 군 사이의 (1) (공격 , 연락) 수단으로 사용되기도 했으며, 태국에서는 복이 오기를 (2) (기원할 , 포기할) 때 사용되기도 해요.

 「풍등은 어떻게 떠오를까?」의 내용을 떠올리며 **역사와 문화 속 풍등의 역할**에 대해 더 알아봅니다.

3일

수필 (문학)

어느 날 자전거가 내 삶 속으로 들어왔다

공부한 날   월   일

「어느 날 자전거가 내 삶 속으로 들어왔다」에 대해 자세히 알아보기

천재 학습 백과

글쓴이가 경험을 통해 얻은 깨달음을 파악해라!

수필은 글쓴이가 자신의 경험과 생각을 자유롭게 쓴 글이에요.

글쓴이가 자전거를 타며 어떤 깨달음을 얻었는지 살펴보면서

수필 「어느 날 자전거가 내 삶 속으로 들어왔다」를 읽어 보아요.

● 오늘 공부할 글의 그림을 미리 보고, 빈칸에 알맞은 낱말을 각각 찾아 쓰세요.

| 가속 | 비밀 | 오르막 | 삽시간 |

동네로 돌아오는 길에 내리막을 달려 앞으로 나아가니 자전거는 페달을 밟지 않고도

❶ ☐☐☐ 이 붙었어요. 어느새 글쓴이는 ❷ ☐☐☐ 에 읍내로 가는 길
　　└→점점 속도를 더함. 또는 그 속도.　　　　　　　　　　└→매우 짧은 시간.

로 내달렸고, 세상을 움직여 온 ❸ ☐☐ 을 하나 얻게 되었지요. 글쓴이는 이 경
　　　　　　　　　　　　　　　└→밝혀지지 않았거나 알려지지 않은 내용.

험을 통해 무엇을 깨달았을까요?

전체 내용
듣기

어느 날 자전거가 내 삶 속으로 들어왔다

성석제

스스로 독해

글쓴이는 이 글에 나타난 경험을 통해 어떤 깨달음을 얻었나요? 점선 부분을 따라 선을 그으며 읽어 보고 답을 찾아보세요.

동네로 돌아오는 길에는 50미터쯤 되는 오르막이 있었다. 오르막에 올라가서 숨을 고르다가 문득 내리막을 달려 내려가면 자전거를 쉽게 탈 수 있지 않을까 하는 생각이 들었다. 내리막 아래쪽은 길이 휘어 있었고 정면에는 내가 어릴 적 물장구를 치고 놀던 도랑이 기다리고 있었다. 그리고 그 옆에는 다음 해 봄에 거름으로 쓸 분뇨를 모아 두는 '똥통'이 있었다. 내가 자전거를 통제하지 못하게 된다면 ㉠결말은 단순했다. 운 좋으면 도랑, 나쁘면 똥통.

그럼에도 불구하고 나는 돌을 딛고 자전거에 올라섰다. 어차피 가지 않으면 안 될 길. 나는 몸을 앞뒤로 흔들어 자전거를 출발시켰다. 자전거는 앞으로 나아가기 시작했다. 페달을 밟지 않고도 가속이 붙었다. 나는 난생처음 봄을 맞는 장끼처럼 나도 모를 이상한 소리를 내지르며 자전거와 한 몸이 되어 달려 내려갔다. 가슴이 터질 듯 부풀었고 어질어질한 속도감에 사로잡혔다. 어느새 내 발은 페달을 차고 있었고 자전거는 도랑과 똥통 옆을 지나고 있었다. 나는 삽시간에 어른이 된 기분으로 읍내로 가는 길을 내달렸다.

그날 나는 내 근육과 뇌에 새겨진 평범한, 그러면서도 세상을 움직여 온 비밀을 하나 얻게 되었다. 일단 안장 위에 올라선 이상 계속 가지 않으면 쓰러진다. 노력하고 경험을 쌓고도 잘 모르겠으면 자연의 판단 — 본능에 맡겨라.

어휘 풀이

▼ **분뇨**|똥 분 糞, 오줌 뇨 尿| 똥과 오줌을 아울러 이르는 말. ㉾ 가축의 <u>분뇨</u>는 거름으로 쓰이기도 한다.

▼ **가속**|더할 가 加, 빠를 속 速| 점점 속도를 더함. 또는 그 속도.
㉾ 수레는 내리막길에 들어서자 <u>가속</u>이 붙어 무섭게 달리기 시작했다.

▼ **장끼**| 꿩의 수컷.

▼ **삽시간**|가랑비 삽 霎, 때 시 時, 사이 간 間| 매우 짧은 시간.
㉾ 둑이 터지자 들판은 <u>삽시간</u>에 물바다가 되고 말았다.

▲ 장끼

▼ **안장**|안장 안 鞍, 꾸밀 장 裝| 자전거 따위에 사람이 앉게 된 자리. ㉾ 자전거 페달에 다리가 닿도록 <u>안장</u>을 조금 낮추었다.

1

어휘

㉠'결말'과 뜻이 비슷한 말이 아닌 것은 무엇인가요? (   )

① 끝   ② 목적   ③ 결론

④ 마무리   ⑤ 마지막

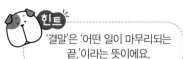

힌트

'결말'은 '어떤 일이 마무리되는 끝.'이라는 뜻이에요.

2

이해

글쓴이에게 일어난 일이 아닌 것은 무엇인가요? (   )

① 어질어질한 속도감을 느꼈다.

② 자전거를 잘 타지 못해 도랑에 빠졌다.

③ 자전거와 한 몸이 되어 달려 내려갔다.

④ 몸을 앞뒤로 흔들어 자전거를 출발시켰다.

⑤ 어른이 된 기분으로 읍내로 가는 길을 내달렸다.

스스로 독해 해결! 서술형

3

이해

글쓴이가 얻은 깨달음을 찾아 쓰세요.

글쓴이는 자전거를 타는 경험을 통해 일단 안장 위에 올라선 이상 계속 가지 않으면 쓰러진다는 것과, 노력하고 경험을 쌓고도 잘 모르겠으면 _____ _____에 맡겨야 한다는 것을 깨달았다.

4

요약

이 글에서 글쓴이의 생각의 변화를 살펴보며 내용을 정리하여 빈칸에 알맞은 말을 각각 쓰세요.

내리막에서 자전거를 타기 전	자전거를 통제하지 못하게 되는 ❶ 　　　　을 떠올렸다.

↓

내리막에서 자전거를 탄 후	페달을 밟지 않고도 ❷ 　　　이 붙어 속도감을 느끼며 내달렸고 세상을 움직여 온 ❸ 　　　을 하나 얻게 되었다.

▶ 정답 및 해설 28쪽

1 보기 를 살펴보고 다음 문장에 들어가기에 알맞은 낱말을 골라 각각 ◯표를 하세요.

> 보기
>
> | **오르막** 낮은 곳에서 높은 곳으로 이어지는 비탈진 곳. | **내리막** 높은 곳에서 낮은 곳으로 이어지는 비탈진 곳. | **가속** 점점 속도를 더함. 또는 그 속도. | **감속** 속도를 줄임. 또는 그 속도. |
> |---|---|---|---|

(1) 이 산은 계속 (오르막 , 내리막)이어서 올라가기에
   힘들었다.

(2) 비가 오는 날에는 자동차를 (가속 , 감속)하여
   운행해야 한다.

> 힌트
> 서로 반대되는 뜻을 가진 낱말 중 무엇이 들어가기에 알맞은 문장인지 생각해 보세요.

2 다음 자전거의 표시된 부분을 부르는 낱말을 각각 쓰세요.

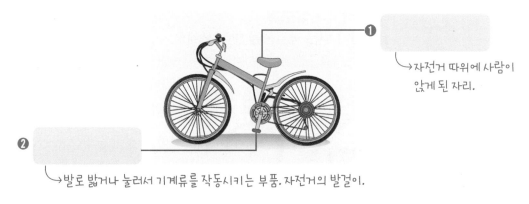

❶ [   ]
  → 자전거 따위에 사람이 앉게 된 자리.

❷ [   ]
  → 발로 밟거나 눌러서 기계류를 작동시키는 부품. 자전거의 발걸이.

3 다음 문장의 밑줄 그은 '고르다'의 뜻과 같은 뜻으로 낱말을 사용한 친구의 이름에 ◯표를 하세요.

> 오르막에 올라가서 숨을 <u>고르다</u>가 문득 내리막을 달려 내려가면 자전거를 쉽게 탈 수
> 있지 않을까 하는 생각이 들었다. → 제 기능을 발휘하도록 다듬거나 손질하다가.

내일 소풍에 가서 먹을 간식을 <u>골랐어</u>.

동생과 간식을 먹을 때에는 <u>고르게</u> 나눠야지.

나는 발표할 때 목소리를 <u>고르며</u> 내 차례를 기다렸어.

준수   소정   지희

○ 다음 그림에서 인영이가 알려 준 자전거를 안전하게 타는 방법을 보고, 자전거를 바르게 타고 있는 사람을 찾아 빈칸에 이름을 쓰세요.

 자전거를 바르게 타고 있는 사람은　　　　　이에요.

 「어느 날 자전거가 내 삶 속으로 들어왔다」의 내용을 떠올리며 **자전거를 안전하게 타는 방법**에 대해 알아봅니다.

마더 테레사

공부한 날   월   일

인물에게 본받을 점을 찾으며 읽는 방법에 대해 자세히 알아보기

천재 학습 백과

인물에게 본받을 점을 찾으며 읽어라!

「마더 테레사」를 읽고 인물에게 본받을 점을 찾아보세요.

인물이 한 일과 인물의 생각, 행동을 살펴보고

그중 따라 하고 싶은 것이 있는지 생각해 보면 된답니다.

● 오늘 공부할 글과 그림을 미리 보고, 알맞은 낱말을 각각 찾아 표시하세요.

의술을 익힌 테레사는 콜카타의 빈민가 모티즈힐로 갔다.

이곳에서 테레사는 부족한 약품을 얻기 위해 하루 종일 걸어야 했다. 지치고 힘들 때마다 수도원의 평온한 생활이 그리웠지만 그녀는 기도하며 마음을 다졌다.

1 '병이나 상처를 고치는 기술. 또는 의학에 관련되는 기술.'이라는 뜻의 낱말을 찾아 ○표를 하세요.

2 '가난한 사람들이 모여 사는 거리.'라는 뜻의 낱말을 찾아 △표를 하세요.

3 '병이나 상처 따위를 고치거나 예방하기 위하여 먹거나 바르거나 주사하는 물질.'이라는 뜻의 낱말을 찾아 □표를 하세요.

테레사 수녀에 대해 더 알아보기

마더 테레사

스스로 독해

테레사에게 본받을 점은 무엇인가요? 점선 부분을 따라 선을 그으며 읽고 답을 생각해 보세요.

테레사는 가난하고 병든 사람들을 도우려면 ˚의술을 배워야겠다는 생각에, 의료 선교 수녀회가 운영하는 성 가족 병원에 묵으면서 열심히 의술을 익히며 환자들을 돌봤다. 의술을 익힌 테레사는 콜카타의 ˚빈민가 모티즈힐로 갔다.

이곳에서 테레사는 부족한 약품을 얻기 위해 하루 종일 걸어야 했다. 지치고 힘들 때마다 수도원의 ㉠평온한 생활이 그리웠지만 그녀는 기도하며 마음을 다졌다.

'하나님, 걷다가 죽도록 피곤해졌을 때 비로소 가난한 사람들의 고통을 깨닫게 됩니다. 생의 마지막 날까지 그들과 고통을 함께할 수 있게 용기를 주십시오.'

테레사는 의료 선교 수녀회에 도움을 청해 모티즈힐과 근처 빈민가인 티잘라에 무료 진료소를 열었다. 두 곳을 오가며 지내던 테레사는 숙식과 일을 할 만한 ˚독자적인 공간의 필요성을 느꼈다. 테레사의 이야기를 들은 고메스 형제가 공간을 마련해 주었고, 그녀의 제자들도 테레사를 돕겠다며 찾아왔다.

테레사가 수녀원을 나와 빈민가에서 일한 지 1년이 되던 1950년 10월 7일, 테레사와 자매들의 ˚헌신적인 활동을 들은 교황청은 마침내 테레사가 있는 곳을 정식 수도회로 인정하였다.

테레사와 자매들은 수도회의 이름을 '사랑의 선교회'로 정했고, 가난한 사람들 가운데서도 가장 가난한 사람들에게 봉사하며 하나님을 섬길 것을 다짐했다.

이로써 테레사는 선교회의 총장을 일컫는 '마더'가 되어 '마더 테레사'로서의 큰 걸음을 내딛게 되었다.

어휘 풀이

▼ **의술** | 의원 의 醫, 꾀 술 術 | 병이나 상처를 고치는 기술. 또는 의학에 관련되는 기술. 예 허준은 스승을 만나 의술을 배웠다.

▼ **빈민가** | 가난할 빈 貧, 백성 민 民, 거리 가 街 | 가난한 사람들이 모여 사는 거리. 예 도시 변두리에는 빈민가가 있었다.

▼ **독자적** | 홀로 독 獨, 스스로 자 自, 과녁 적 的 | 남에게 기대지 않고 혼자서 하는 것. 예 박사는 독자적인 연구로 주목받았다.

▼ **헌신적** | 바칠 헌 獻, 몸 신 身, 과녁 적 的 | 몸과 마음을 바쳐 있는 힘을 다하는 것. 예 그녀는 환자를 헌신적으로 보살폈다.

▶ 정답 및 해설 29쪽

1 서술형
이해

테레사가 의술을 배워야겠다고 생각한 까닭은 무엇인지 쓰세요.

_____ 돕고 싶었기 때문이다.

2 테레사가 하루 종일 걸어야 했던 까닭은 무엇인가요? (   )
이해

① 약품을 얻기 위해

② 의술을 배우기 위해

③ 무료 진료소를 찾기 위해

④ 수도원으로 돌아가기 위해

⑤ 사랑의 선교회를 세우기 위해

3 ㉠'평온한 생활'은 어떤 생활일까요? (   )
유추

① 힘들고 괴로운 생활

② 복잡하고 위험한 생활

③ 시끄럽고 어지러운 생활

④ 바쁘고 여유가 없는 생활

⑤ 조용하고 걱정이나 탈이 없는 생활

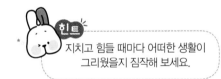

힌트

지치고 힘들 때마다 어떠한 생활이
그리웠을지 짐작해 보세요.

4 스스로 독해 해결!
요약

이 글에서 테레사가 한 일을 바탕으로 테레사에게 본받을 점이 무엇인지 정리하여 빈칸에 알맞은 말을 각각 쓰세요.

테레사가 한 일
열심히 ❶ ＿＿＿＿ 을 익히고 무료 진료소를 열고 사랑의 선교회를 세워 가난하고 병든 사람들을 도왔다.

↓

테레사에게 본받을 점
❷ ＿＿＿＿ 하고 병든 사람들을 위해 헌신적으로 봉사하는 정신을 본받을 수 있다.

1 보기 에서 낱말의 뜻을 살펴보고 다음 문장에서 알맞은 말을 찾아 각각 ◯표를 하세요.

보기

| 무료 | ⬌ | 유료 |

요금이 없음.　　　　　　요금을 내게 되어 있음.

(1) 이 공연은 (무료 , 유료) 공연으로, 입장권을 구매해야 관람할 수 있습니다.

(2) 추석을 맞이하여 주차 요금 없이 (무료 , 유료)로 주차장을 이용할 수 있습니다.

2 다음 중 밑줄 그은 낱말과 비슷한 뜻을 가진 낱말을 보기 에서 각각 찾아 쓰세요.

보기

깨닫는다　　　　돌본다　　　　고친다

(1) 이 병원은 병을 잘 <u>치료한다</u>고 소문이 났다.

(2) 의사가 환자를 <u>보살핀다</u>.

3 '의술을 <u>익히다</u>.'에서 밑줄 그은 낱말의 뜻으로 알맞은 것을 찾아 ◯표를 하세요.

(1) 고기나 채소, 곡식 따위의 날것에 뜨거운 열을 가하여 그 성질과 맛을 달라지게 하다. (　　　)
　　예 고기를 <u>익히다</u>.

(2) 자주 경험하여 능숙하게 하다. (　　　)
　　예 기타를 <u>익히다</u>.

힌트
'익히다'의 뜻 중에서 밑줄 그은 뜻으로
알맞은 것을 찾아보세요.

▶ 정답 및 해설 29쪽

◉ 테레사 수녀 덕분에 병이 나은 아이가 수녀에게 감사하다는 말을 전하려고 해요. 출발 칸의 아이가 길에 떨어져 있는 카드를 주워 '감사해요'라는 말을 전할 수 있도록 빈칸에 알맞은 방향의 화살표를 그려 보세요.

「마더 테레사」를 읽고 테레사 수녀의 보살핌을 받은 아이가 **테레사 수녀에게 하고 싶은 말**을 생각하며 '**감사해요**' 글자를 모아 봅니다.

함께 지키는 급식 실천 사항

공부한 날　　　월　　　일

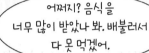

새롭게 알게 된 내용을 정리해 보자!

「함께 지키는 급식 실천 사항」은 급식 시간에 지켜야 할

주의 사항을 알려 주는 글이에요.

급식 시간에 실천해야 할 사항을 살펴보고

새롭게 알게 된 내용을 정리해 보세요.

똑똑한 하루 독해 미리 보기

● 오늘 공부할 글의 사진을 미리 보고, 빈칸에 알맞은 낱말을 **보기** 에서 각각 찾아 쓰세요.

보기

| 점심시간 | 자원 | 분리배출 | 거름 |

❶

쓰레기 따위를 종류별로 나누어서 버림.

예 환경 보호를 위해서 남은 음식은 ○○○○
을 해야 한다.

4주 5일

❷

식물이 잘 자라도록 땅을 기름지게 하기 위
하여 주는 물질.

예 음식물 쓰레기도 잘 모으면 사료, ○○
등으로 쓰일 수 있다.

❸

인간 생활 및 경제 생산에 이용되는 재료.

예 음식물 쓰레기도 귀중한 ○○으로 사용
하고 있다.

생활 쓰레기의
분리·처리 방법
알아보기

스스로 독해

급식에서 우리가 남긴 음식물이 어떻게 처리 되는지 몰랐던 친구라 면 이 글을 읽고 무엇을 새롭게 알았을까요? 점 선 부분을 따라 선을 그 으며 읽어 보고 새롭게 알게 된 내용을 정리해 보세요.

함께 지키는 급식 실천 사항

급식을 먹기 전에 이것만은 지켜요!

음식은 먹을 만큼만 받으세요. 잔반의 양을 ⓐ ㉠ 하여 음식물 쓰레기를 줄일 수 있어요.

급식을 먹은 후에 이것만은 지켜요!

잔반을 버릴 때에는 국그릇에 모아서 버려 주세요. 단, 그때 이물질 은 꼭 제거하여 잔반과 섞이지 않도록 주의해 주세요.

우리 학교에서는 환경 보호를 위해 여러분이 남긴 음식물을 분리배 출을 하여 사료, 거름 등의 귀중한 자원으로 사용하고 있어요. 환경 보 호를 위한 작은 약속을 기억하고 함께 지켜요!

어휘 풀이

▼ **잔반**|쇠잔할 잔 殘, 밥 반 飯|　먹고 남은 음식. ㉲ 식당에서 나오는 잔반을 돼지 사료로 이용했다.

▼ **이물질**|다를 이 異, 만물 물 物, 바탕 질 質|　정상적이 아닌 다른 물질. ㉲ 눈에 이물질이 들어가다.

▼ **분리배출**|나눌 분 分, 떠날 리 離, 물리칠 배 排, 날 출 出|　쓰레기 따위를 종류별로 나누어서 버림.
　　㉲ 음식물 쓰레기는 분리배출을 해야 한다.

▼ **거름**　식물이 잘 자라도록 땅을 기름지게 하기 위하여 주는 물질. 똥, 오줌, 썩은 동식물 따위.
　　㉲ 할아버지는 식물이 잘 자라도록 땅에 거름을 뿌리셨다.

▼ **자원**|재물 자 資, 근원 원 源|　인간 생활 및 경제 생산에 이용되는 재료. 광물, 산림, 수산물 따위.
　　㉲ 효율적으로 자원을 활용해야 한다.

1
유추

㉠ 안에 들어갈 낱말로 알맞은 것은 무엇인지 **보기** 에서 찾아 쓰세요.

보기

극대화   최소화   최대화

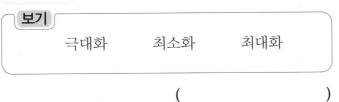
'가장 적게 함.'이라는 뜻의
낱말을 찾아보아요.

(   )

2
이해

급식을 먹을 때 음식을 먹을 만큼만 받아야 하는 까닭은 무엇인가요? (   )

① 불우 이웃을 도우려고

② 음식물 쓰레기를 줄이려고

③ 음식물 쓰레기의 물기를 없애려고

④ 음식물 쓰레기로 사료를 만들려고

⑤ 음식물 쓰레기로 거름을 만들려고

3
이해

스스로 독해 **해결!** **서술형**

다음 친구가 이 글을 읽고 새롭게 알게 된 사실은 무엇인지 쓰세요.

> 우리가 급식을 먹고 난 뒤에
> 남긴 음식물은 어떻게 되는 것인지
> 몰랐는데, 이 글을 읽고 새롭게
> 알게 되었어.

 잔반을 분리배출을 하여 사료, 거름 등의 _____
으로 사용한다.

4
요약

급식 실천 사항을 정리하여 빈칸에 알맞은 말을 각각 쓰세요.

급식을 먹기 전	음식을 ❶ 만큼만 받는다.		
급식을 먹은 후	잔반은 ❷ 에 모아서 버리고, ❸ 은 제거하여 잔반과 섞이지 않도록 한다.		

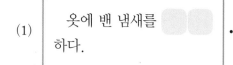

1 다음 빈칸에 들어갈 알맞은 낱말을 각각 찾아 선으로 이으세요.

(1) 옷에 밴 냄새를 ⬜⬜ 하다. •

(2) 작년 소풍이 ⬜⬜ 에 오래 남는다. •

(3) 집에서 기르는 강아지에게 ⬜⬜ 를 주었다. •

• ① **기억** 이전의 모습, 사실, 지식, 경험 등을 잊지 않거나 다시 생각해 냄.

• ② **제거** 없애 버림.

• ③ **사료** 집에서 기르는 소, 말, 돼지, 닭, 개 따위에게 주는 먹을거리.

2 다음 두 문장에서 밑줄 그은 '버리다'의 뜻을 보기 에서 찾아 알맞은 기호에 각각 ○표를 하세요.

> **보기**
>
> **버리다**
> ㉠ 가지거나 지니고 있을 필요가 없는 물건을 내던지거나 쏟거나 하다.
> ㉡ 못된 성격이나 버릇 따위를 떼어 없애다.

| (1) 휴지를 휴지통에 버리다. (㉠ , ㉡) | (2) 음식물을 남기는 습관을 버리다. (㉠ , ㉡) |

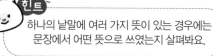

힌트
하나의 낱말에 여러 가지 뜻이 있는 경우에는 문장에서 어떤 뜻으로 쓰였는지 살펴봐요.

◉ 음식물 쓰레기를 줄이고 잘 버리는 일에 대해 살펴보았지요? 그럼 다음 중 음식물 쓰레기로 분리배출을 해야 하는 것은 무엇일까요? 사다리 타기 놀이를 하여 찾아보고 알맞은 것에 ◯표를 하세요.

 음식물 쓰레기로 분리배출을 해야 하는 것은 (양파 껍질 , 생선 뼈 , 복숭아씨 , 바나나 껍질)이에요.

 「함께 지키는 급식 실천 사항」의 내용을 떠올리며 **음식물 쓰레기로 분리배출을 해야 하는 것**에 대해서 더 알아봅니다.

[1~3] 다음 글을 읽고, 물음에 답하세요.

조선 때의 일이다. 이조 판서 홍 아무개에게는 길동이라는 아들이 있었다. 길동은 비록 서자였으나 그 재주가 무척 ⊙띄어났다. 이 때문에 홍 판서는 길동을 볼 때마다 한숨을 내쉬곤 했다.

"첩의 자식만 아니라면 가문을 빛낼 아이거늘……."

서자라서 벼슬을 할 수 없는 길동은 늦은 밤까지 검술을 익히는 것으로 마음을 달랬다.

1 ⊙을 바르게 고쳐 쓰세요.

( )

2 이 글에 나타난 시대 상황으로 알맞은 것에 ○표를 하세요.

(1) 서자를 최고로 대우하였다. ( )

(2) 벼슬을 할 수 있는 신분이 정해져 있었다.

( )

(3) 신분에 상관없이 능력에 따라 벼슬을 할 수 있었다. ( )

3 이 글에 나타난, 길동에 대한 홍 판서의 마음으로 알맞은 것은 무엇인가요? ( )

① 무섭다. ② 서운하다.

③ 괘씸하다. ④ 안타깝다.

⑤ 홀가분하다.

[4~5] 다음 글을 읽고, 물음에 답하세요.

풍등에 불을 붙이면 풍등 내부의 온도가 올라가면서 기체의 움직임이 점차 활발해져.

기체 사이의 간격이 멀어지고 기체 밀도가 낮아지면서 외부 공기에 비해 풍등 내부의 공기 무게가 상대적으로 가벼워지고, 점차 위로 떠오르는 거지.

4 이 글에서 설명하는 내용은 무엇인지 빈칸에 알맞은 말을 쓰세요.

( )이 떠오르는 과정

5 풍등에 불을 붙였을 때, 풍등 내부에서 일어나는 일이 <u>아닌</u> 것은 무엇인가요? ( )

① 온도가 올라간다.

② 기체의 밀도가 낮아진다.

③ 기체의 움직임이 활발해진다.

④ 기체 사이의 간격이 가까워진다.

⑤ 외부 공기에 비해 풍등 내부의 공기 무게가 상대적으로 가벼워진다.

6 밑줄 그은 낱말과 뜻이 반대되는 낱말을 문장에서 찾아 쓰세요.

> 오르막에 올라가서 숨을 고르다가 문득 내리막을 달려 내려가면 자전거를 쉽게 탈 수 있지 않을까 하는 생각이 들었다.

( )

[7~8] 다음 글을 읽고, 물음에 답하세요.

> 테레사는 가난하고 병든 사람들을 도우려면 의술을 배워야겠다는 생각에, 의료 선교 수녀회가 운영하는 성 가족 병원에 묵으면서 열심히 의술을 익히며 환자들을 돌봤다. 의술을 ㉠익힌 테레사는 콜카타의 빈민가 모티즈힐로 갔다.

7 테레사가 의술을 배운 까닭을 바르게 말한 친구의 이름을 쓰세요.

> 수정: 돈을 많이 벌기 위해서야.
> 예인: 사람들에게 존경을 받고 싶어서야.
> 동수: 가난하고 병든 사람을 돕기 위해서야.

( )

8 밑줄 그은 말이 ㉠과 같은 뜻으로 쓰인 문장에 ○표를 하세요.

(1) 피아노를 익힌 동생은 축제에서 피아노를 연주했다. ( )

(2) 푹 익힌 감자는 뜨거우므로 입을 데지 않도록 조심해야 한다. ( )

[9~10] 다음 글을 읽고, 물음에 답하세요.

급식을 먹은 후에 이것만은 지켜요!

> 잔반을 버릴 때에는 국그릇에 모아서 버려 주세요. 단, 그때 이물질은 꼭 제거하여 잔반과 섞이지 않도록 주의해 주세요.
> 우리 학교에서는 환경 보호를 위해 여러분이 남긴 음식물을 분리배출을 하여 사료, 거름 등의 귀중한 자원으로 사용하고 있어요.

9 다음은 급식을 먹은 후에 지켜야 할 일을 정리한 것입니다. 빈칸에 알맞은 말을 쓰세요.

> • 잔반은 ( )에 모아서 버린다.
> • ( )은 꼭 제거하여 잔반과 섞이지 않도록 한다.

10 이 글을 읽고 새롭게 알게 된 사실을 **잘못** 말한 친구의 이름을 쓰세요.

> 나영: 잔반이 사료나 거름 등으로 쓰인다는 것을 알았어.
> 동수: 잔반을 분리배출 하면 환경을 보호할 수 있다는 것을 알았어.
> 하늘: 잔반에 이물질이 조금 섞여도 귀중한 자원이 될 수 있다는 것을 알았어.

( )

창의
1 다음 만화를 읽고, 4주차에서 배운 낱말을 떠올려 어휘 퀴즈에 알맞은 낱말을 빈칸에 각각 쓰세요.

어휘 퀴즈

❶ '매우 짧은 시간.'을 뜻하는 말은? →

❷ '똥과 오줌을 아울러 이르는 말.'을 뜻하는 말은? →

❸ '물은 온도에 따라 고체, 액체, ○○로 변한다.'의 빈칸에 들어갈 알맞은 말은? →

융합

2 「홍길동전」을 읽고, 조선 시대의 신분 제도에 대해 알아보려고 해요. 조선 시대의 신분 제도를 읽고, 다음 사람들의 신분은 어디에 속하는지 선으로 이으세요.

> **조선 시대의 신분 제도**
>
> • **양반**: 나라를 지배하는 신분으로, 문관과 무관을 합쳐 양반이라고 해요.
> • **중인**: 통역, 의술 같은 전문적인 직업을 가진 사람이에요.
> • **상민**: 농업, 상업 등에 종사하는 신분으로 농민이 가장 많았어요.
> • **천민**: 노비, 광대, 무당 등의 직업을 가진 가장 낮은 신분이에요.

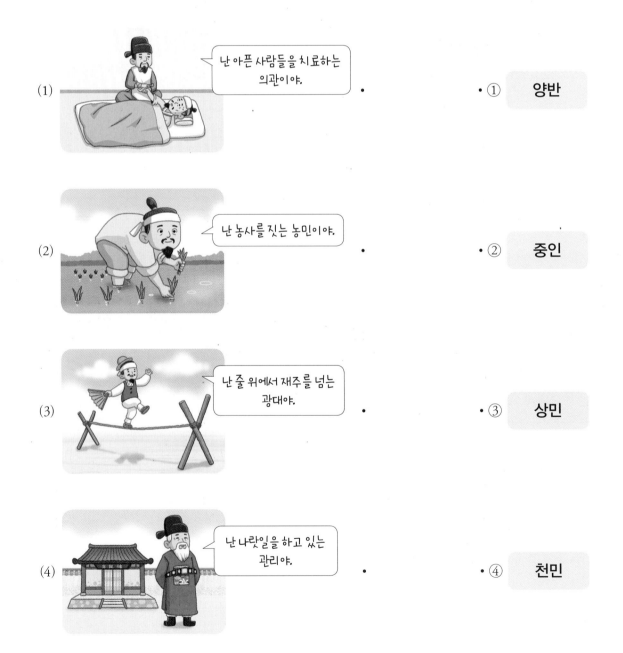

(1) 난 아픈 사람들을 치료하는 의관이야.

① 양반

(2) 난 농사를 짓는 농민이야.

② 중인

(3) 난 줄 위에서 재주를 넘는 광대야.

③ 상민

(4) 난 나랏일을 하고 있는 관리야.

④ 천민

3 「어느 날 자전거가 내 삶 속으로 들어왔다」를 읽고, 슬이가 자전거를 타고 엄마 심부름을 했어요. 다음 코딩 명령을 따라가서 슬이가 사 온 물건의 이름을 모두 쓰세요.

코딩 명령 풀이

위쪽으로 두 칸, 오른쪽으로 세 칸, 아래쪽으로 두 칸 이동해요.

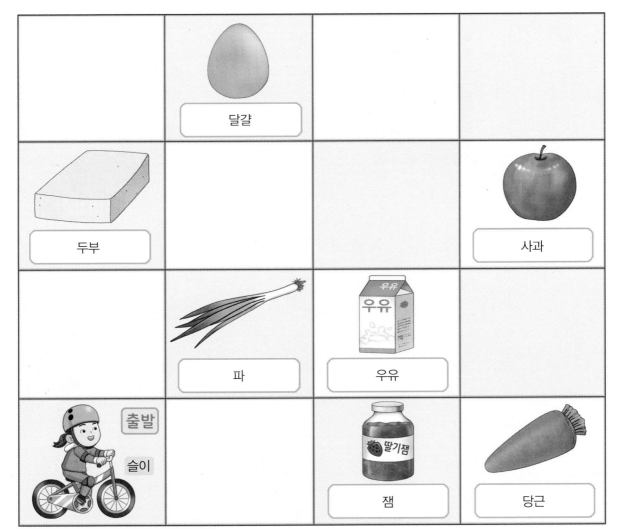

슬이가 사 온 물건은 ☐☐ , ☐☐ , ☐☐ 이에요.

창의

4 물 절약 안내문을 보고 알맞은 낱말에 각각 ○표를 하세요.

생활 어휘

물 절약은 이렇게!

우리 모두 동참하여 물을 절약합시다.

물을 절약하자는 내용이네.

☑ **화장실에서**
- 양치할 때 양치 컵 사용하기
- 비누칠을 할 때 수도꼭지 잠그기
- 세안할 때 물을 받아서 하기

☑ **주방 및 기타 공간에서**
- 과일을 씻고 남은 허드렛물을 버리지 않고 재사용하기
- 설거지를 할 때 물을 받아 사용하기
- 빨랫감은 모아서 한꺼번에 세탁하고 세제는 정량만 사용하기

물을 절약하려면 화장실이나 주방에서 어떻게 해야 하는지 살펴봐.

생활 습관의 작은 변화로
물을 절약할 수 있습니다.

얘들아! 이 글은 물 절약에 같이 (1) (참가 , 불참)하라고 알려 주는 글이야.
얼굴을 (2) (씻을 , 쳐다볼) 때에는 물을 받아서 하고, 빨래할 때 세제
는 (3) (최대한 많은 , 정해진) 양을 넣어야 해.

어휘 풀이

▼ **절약** | 마디 절 節, 맺을 약 約 | 함부로 쓰지 않고 꼭 필요한 데에만 써서 아낌. 예 에너지를 절약하자.

▼ **동참** | 같을 동 同, 참여할 참 參 | 어떤 모임이나 일에 같이 참가함. 예 독립운동에 많은 사람이 동참하였다.

▼ **세안** | 씻을 세 洗, 얼굴 안 顔 | 얼굴을 씻음. 예 피부를 깨끗이 하기 위해 세안을 꼼꼼하게 했다.

▼ **허드렛물** 별로 중요하지 않은 일에 쓰는 물. 예 허드렛물로 청소를 하다.

▼ **정량** | 정할 정 定, 헤아릴 량 量 | 일정하게 정하여진 분량. 예 약은 정량을 복용하는 것이 중요하다.

창의
5
생활 한자

相(서로 상) 자에 대해 알아보고, 다음 물음에 답하세요.

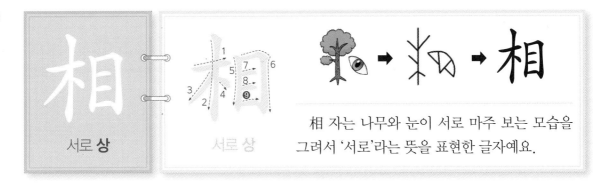

相 자는 나무와 눈이 서로 마주 보는 모습을 그려서 '서로'라는 뜻을 표현한 글자예요.

서로 상

(1) 相 자가 들어간 낱말을 알아보고, 한자의 음을 쓰세요.

① 그는 친구와 의견이 相反되었다.

반

힌트
146쪽에서 공부한 '상대적'에 쓰인 相(서로 상) 자에 대해 알아봐요.

② 오늘 오후에 선생님과 진로 문제를 相談하기로 하였다.

담

4주
특강

(2) 한자 성어의 뜻을 알아보고, 빈칸에 알맞은 한자를 쓰세요.

相 扶 相 助
서로 상   도울 부   서로 상   도울 조

서로서로 도움.

• 우리 조상들은 바쁜 추수철에 품앗이를 하며 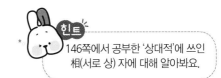 扶 助 (상부상조)해 왔다.

똑똑한 하루 독해 한권 끝!

독해 공부 하느라 수고했어요.
약속을 잘 지켰는지 돌아보고 ○표를 하세요.

약속한 사람 _____

첫째, 하루하루 빠짐없이 꾸준히 공부했나요?　　　　　　　예　　　아니요

둘째, 하루 독해 문제를 끝까지 다 풀었나요?　　　　　　　예　　　아니요

셋째, 틀린 문제는 왜 틀렸는지 다시 한번 확인했나요?　　예　　　아니요

약속을 잘 지키지 못한 부분은 스스로 돌아보고,
다음 단계를 공부할 때에는 더 열심히 해 봐요!

 그럼, 다음 책으로 고고!

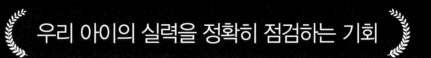

우리 아이의 실력을 정확히 점검하는 기회

40년의 역사
전국 초·중학생 213만 명의 선택

HME 학력평가

해법수학·해법국어

응시 학년
수학 ｜ 초등 1학년 ~ 중학 3학년
국어 ｜ 초등 1학년 ~ 초등 6학년

응시 횟수
수학 ｜ 연 2회 (6월 / 11월)
국어 ｜ 연 1회 (11월)

주최 **천재교육** ｜ 주관 **한국학력평가 인증연구소** ｜ 후원 **서울교육대학교**

*응시 날짜는 변동될 수 있으며, 더 자세한 내용은 HME 홈페이지에서 확인 바랍니다.

빠른 정답이 들어 있어요!

똑똑한
하루
독해

정답 및 해설

5단계

A
4~5학년

천재교육

정답과 해설
포인트 **3**가지

▶ 혼자서도 이해할 수 있는 친절한 문제 풀이

▶ 문제 해결에 도움을 주는 '더 알아보기'와
   틀린 부분을 짚어 주는 '왜 틀렸을까?'

▶ 예시 답안과 채점 기준 제시로 서술형 문항 완벽 대비

똑똑한 하루 독해

정답 및 해설

1주

010쪽~011쪽

1주에는 무엇을 공부할까? ❷

1-1 빛바랜   **1-2** 빛바란, 빛바랜

2-1 채   **2-2** (1) ○

독해 게임

012쪽~017쪽   1주 **1**일

독해 미리 보기

❶ 반찬   ❷ 닭장   ❸ 잡히지

독해

1 닭장 앞에서 보초를 서 보기도 했다. 등   **2** ④

3 (2) ○   **4** ❶ 달걀   ❷ 고무신   ❸ 막내

독해 어휘

1 잠그고   **2** 윗 옷   **3** (1) 공연히 (2) 늦장

독해 게임

6, 6

018쪽~023쪽   1주 **2**일

독해 미리 보기

❶ 데고   ❷ 담가   ❸ 삶은

독해

1 진호   **2** 온도가 높은 곳에서 낮은 곳으로 전달되는 등   **3** (2) ○

4 ❶ 손잡이   ❷ 쇠젓가락   ❸ 금속

독해 어휘

1 (1) 맨발 (2) 맨주먹   **2** 담그다

3 (1) 쇠(구리) (2) 구리(쇠)

024쪽~029쪽   1주 **3**일

독해 미리 보기

❶ 우주   ❷ 보름

독해

1 나가는 동그란 등   **2** 예림   **3** ②

4 ❶ 문   ❷ 보름   ❸ 우주

독해 어휘

1 15   **2** (1) 들어오는 (2) 닫는   **3** (2) ○

독해 게임

달, 태양

030쪽~035쪽   1주 **4**일

독해 미리 보기

1 채택   **2** 무술   **3** 재주

독해

1 ④   **2** 몸과 마음을 건강하게 지켜 나가기 등

3 소유   **4** ❶ 궁궐   ❷ 격구   ❸ 말

독해 어휘

1 (1) ② (2) ③ (3) ①   **2** (3) ○

독해 게임

(1) 활쏘기 (2) 투호 (3) 격구 (4) 마상재

독해 미리 보기

1 실천　　**2** 계획　　**3** 점검

독해

1 자신의 운동 습관이 어떠하였는지 등　　**2** ①

3 (2) ○　　**4** ❶ 미만　❷ 달리기　❸ 줄넘기

독해 어휘

1 세워　　**2** (1) 이상　(2) 미만

3 (1) 운동　(2) 수영

독해 게임

1 ㉠　　**2** (2) ○　　**3** ③　　**4** (2) ○

5 ②　　**6** 달　　**7** ③, ④　　**8** (나)

9 ③　　**10** ⑤

1 ❶ 늑장　❷ 점검　❸ 삶은

2 막내가 시장에 내다 판 달걀의 무게는 모두 합하여 215 그램이에요.

3 ❷ 2　❹ 1

4 (1) 채워서　(2) 액수　(3) 넣으면

5 (1) ① 보 폭　② 보 행

　　(2) 五 十 步 百 步

1-1 기다랗게　　**1-2** (2) ○

2-1 ㉢　　**2-2** 눈을 붙였다

독해 미리 보기

❶ 울타리　❷ 한숨　❸ 근사한

독해

1 (울타리에) 페인트칠 등　　**2** (2) ○

3 ④　　**4** ❶ 잼　❷ 벌　❸ 페인트칠

독해 어휘

1 (1) ○　　**2** (2) ○　　**3** (3) ○

독해 게임

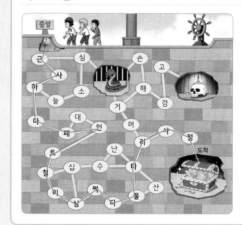

독해 미리 보기

❶ 롤러코스터　❷ 놀이공원　❸ 뫼비우스

독해

1 (1) ×　　**2** (2) ○　　**3** 한 번 꼬여 있는 등

4 ❶ 롤러코스터　❷ 180(백팔십)　❸ 밖

독해 어휘

1 (2) ○　　**2** (1) ②　(2) ③　(3) ①

3 (1) 주스　(2) 케이크　(3) 텔레비전

빠른 정답

독해 게임

066쪽~071쪽 **2주 3일**

독해 미리 보기

1 피고　　**2** 엄벌　　**3** 기소

독해

1 (1) ○　　**2** (2) ○

3 (어린이들에게 사랑의) 선물 등

4 ❶ 재판　**❷** 판사　**❸** 검사

독해 어휘

1 같이, 끝이, 샅샅이　　**2** (2) ○

독해 게임

변호사

072쪽~077쪽 **2주 4일**

독해 미리 보기

❶ 대보름　**❷** 풍속　**❸** 한여름

독해

1 (1) ①　(2) ②　　**2** 더위를 먹지 않는다 등

3 (3) ○　　**4 ❶** 먹다　**❷** 몸　**❸** 더위

독해 어휘

1 (3) ×　　**2** 풍속

독해 게임

078쪽~083쪽 **2주 5일**

독해 미리 보기

❶ 승객　　**❷** 운송　　**❸** 소지

독해

1 승객에게 피해를 줄 것으로 판단 등

2 ①, ④

3 ❶ 운전자　**❷** 음식물　**❸** 포장

독해 어휘

1 (1) 셌다　(2) 샜다

2 (1) 소지　(2) 금지　(3) 하차

독해 게임

084쪽~085쪽 **누구나 100점 테스트**

1 ⑤　　　　**2** (2) ○　　　**3** 뫼비우스　**4** ③, ④

5 (3) ○　　**6** ③　　　　**7** (3) ○

8 (음력) 정월 대보름　**9** (2) ○　　**10** 샐

3주

빠른 정답

독해 미리 보기

❶ 교류　　　❷ 외래문화　　　❸ 개량

독해

1 변화하고 발전하기 등　　**2** 지니　　**3** (2) ◯

4 ❶ 외래　❷ 영향　❸ 삼국사기

독해 어휘

1 (1) 고유문화　(2) 외래문화

2 (1) 거절　(2) 승낙

독해 게임

판소리

3

4 (1) 타는　(2) 여권

5 (1) ① 사 건　② 사 실

　　(2) 事 實 無 根

독해 미리 보기

❶ 빛깔　　　❷ 당도

독해

1 고루고루　**2** 맛있는 과일을 고르는 등　**3** 연주

4 ❶ 단단한　❷ 노란빛　❸ 송이

독해 어휘

1 (1) 은은한　(2) 묵직한　**2** (2) ◯

독해 게임

(1) 배(포도)　(2) 포도(배)　(3) 18,000(만 팔천)

---

1 낳은　　**2** (2) ◯　　**3** ㉣　　**4** (1) ◯

5 ①　　**6** 사마　　**7** ㉡　　**8** 사과

9 ㉮　　**10** (2) ◯

---

1 ❶ 균열　❷ 점액　❸ 개량

2 252

4주

1-1 울적하고　　　**1-2** 서글프고

2-1 딛고　　　　　**2-2** (2) ◯

독해 미리 보기

1 서자　　**2** 가문　　**3** 검술

독해

1 ⑤　　　**2** 아버지를 아버지라 등　　**3** 하윤

4 ❶ 서자　❷ 길동　❸ 불쌍한

독해 어휘

1 (1) 뛰어났다　(2) 어이　　**2** (2) ◯

3 (1) 익히는　(2) 울적하고

독해 게임

아버지, 아버지

144쪽~149쪽　4주 2일

독해 미리 보기

❶ 기체　　❷ 입자　　❸ 떠오른다

독해

1 기체의 무게 등　　2 ①, ②　　3 (1) ○

4 ❶ 기체　❷ 간격　❸ 밀도

독해 어휘

1 (2) ○

2 (1) 외부　(2) 무거워진다　(3) 좁아진다　(4) 늘어난다

독해 게임

(1) 연락　(2) 기원할

150쪽~155쪽　4주 3일

독해 미리 보기

❶ 가속　　❷ 삽시간　　❸ 비밀

독해

1 ②　　　2 ②　　　3 자연의 판단 – 본능 등

4 ❶ 결말　❷ 가속　❸ 비밀

독해 어휘

1 (1) 오르막　(2) 감속　　2 ❶ 안장　❷ 페달

3 지희

독해 게임

경진

156쪽~161쪽　4주 4일

독해 미리 보기

1 의술　　2 빈민가　　3 약품

독해

1 가난하고 병든 사람들을 등　　2 ①

3 ⑤　　　4 ❶ 의술　❷ 가난

독해 어휘

1 (1) 유료　(2) 무료　　2 (1) 고친다　(2) 돌본다

3 (2) ○

독해 게임

❶ ⬇　　❷ ➡　　❸ ➡

162쪽~167쪽　4주 5일

독해 미리 보기

❶ 분리배출　❷ 거름　　❸ 자원

독해

1 최소화　　2 ②　　　3 귀중한 자원 등

4 ❶ 먹을　❷ 국그릇　❸ 이물질

독해 어휘

1 (1) ②　(2) ①　(3) ③　　2 (1) ㉠　(2) ㉡

독해 게임

바나나 껍질

168쪽~169쪽　누구나 100점 테스트

1 뛰어났다　2 (2) ○　　3 ④　　　4 풍등

5 ④　　　　6 내리막　　7 동수　　8 (1) ○

9 국그릇, 이물질　　　10 하늘

170쪽~175쪽　4주 특강

1 ❶ 삽시간　❷ 분뇨　❸ 기체

2 (1) ②　(2) ③　(3) ④　(4) ①

3 두부, 사과, 당근

4 (1) 참가　(2) 씻을　(3) 정해진

5 (1) ① 상 반　② 상 담

(2) 相 扶 相 助

010쪽~011쪽　　1주에는 무엇을 공부할까? ❷

1-1 빛바랜	1-2 빛바란, 빛바랜
2-1 채	2-2 (1) ○

1-1~1-2 '낡거나 오래되다.'라는 뜻을 가진 낱말의 바른 표기는 '빛바래다'입니다.

2-1~2-2 '채'는 '팽이나 공 등을 치는 데에 쓰는 도구.'라는 뜻이고, '체'는 '가루를 곱게 치거나 액체를 받거나 거르는 데 쓰는 기구.'라는 뜻입니다.

013쪽　　똑똑한 하루 독해 **미리 보기**

❶ 반찬　　❷ 닭장　　❸ 잡히지

014쪽~015쪽　　똑똑한 하루 독해

1 닭장 앞에서 보초를 서 보기도 했다. 등	2 ④
3 (2) ○	4 ❶ 달걀 ❷ 고무신 ❸ 막내

1 '어머니는 닭장에 자물쇠를 잠그고 닭장 앞에서 보초를 서 보기도 했지만 도둑은 잡히지 않았습니다.'를 보고 알 수 있습니다.

> **채점 기준**
> 닭장 앞에서 보초를 섰다는 내용으로 썼으면 정답으로 합니다.

2 '어머니는 대견한 마음에 막내를 보며 미소 지었습니다.'를 보고 어머니가 막내를 대견하게 여긴다는 것을 알 수 있습니다.

3 당시에는 달걀을 모아 물건을 살 수 있었고 달걀이 소중했다는 것을 짐작할 수 있습니다.

4 어머니는 달걀 도둑을 잡지 못하고, 졸업식 날이 다가오자 달걀로 '나'의 옷을 사 오셨습니다. 그리고 막내는 달걀을 두 개씩 모아 하얀 고무신을 사서 어머니께 드렸습니다. 이를 통하여 달걀 도둑이 막내라는 것이 밝혀졌고, 그 까닭을 알게 된 어머니께서는 붉어진 눈시울로 미소 지으셨습니다.

016쪽　　똑똑한 하루 독해 **어휘**

1 잠그고	2 윗 옷	3 (1) 공연히 (2) 늦장

1 누군가가 자물쇠를 채울 때에는 '잠그고'를 쓰고, 누군가에 의해 자물쇠가 채워졌을 때에는 '잠기고'를 씁니다. 따라서 '어머니는 닭장에 자물쇠를 잠그고'와 같이 써야 알맞습니다.

> **【 왜 틀렸을까? 】**
> 같은 상황에서 '잠기고'를 사용하려면 '어머니에 의해 닭장에 자물쇠가 잠기고 말았다.'와 같이 쓸 수 있습니다.

2 여자는 한복을 입을 때 위에는 저고리를 입고, 아래에는 치마를 입습니다. 따라서 '윗옷으로 저고리를 입으시고'와 같이 써야 알맞습니다.

3 (1) '괜히'는 '아무 까닭이나 실속이 없게.'라는 뜻으로, '공연히'와 뜻이 비슷한 말입니다.
　(2) '늑장'은 '느릿느릿 꾸물거리는 태도.'라는 뜻으로, '늦장'과 뜻이 비슷한 말입니다.

> **【 왜 틀렸을까? 】**
> '앞장'은 '무리의 맨 앞자리. 또는 거기에 있는 사람.'이라는 뜻이고, '섣불리'는 '솜씨가 익숙하지 못하고 어설프게.'라는 뜻입니다.

017쪽　　똑똑한 하루 독해 **게임**

'2 × 6 = 12'이니까 날마다 2개씩 6 일 동안 달걀을 꺼내 오면 달걀 12개를 모을 수 있어요. 이 달걀들로 어머니께 드릴 고무신 한 켤레를 살 수 있지요.

● 그림 속에서 대화한 내용을 먼저 살펴본 뒤 계산식에 맞게 계산해 봅니다. 막내가 하얀 고무신은 달걀 몇 개를 가져오면 살 수 있냐고 묻자 신발 장수 아저씨는 달걀 12개를 가져오면 고무신 한 켤레와 바꾸어 준다고 하였습니다. 날마다 2개씩 달걀을 꺼내 온다고 하였으므로 '2(개)×6(일)=12(개)'라는 계산식을 완성할 수 있습니다. 즉, 날마다 2개씩 6일 동안 달걀을 꺼내 오면 총 12개를 모을 수 있습니다.

2일

019쪽 · 똑똑한 **하루 독해** 미리 보기

❶ 데고 　❷ 담가 　❸ 삶은

020쪽~021쪽 · 똑똑한 **하루 독해**

1 진호　2 온도가 높은 곳에서 낮은 곳으로 전달되는 등
3 (2) ○　4 ❶ 손잡이　❷ 쇠젓가락　❸ 금속

1 진호가 고체인 쇠숟가락에서의 열의 이동과 관련하여 자신이 한 일을 말하였으므로 이 글의 내용과 관련된 겪은 일을 알맞게 떠올렸습니다.

　(왜 틀렸을까?)
　세아는 기체에서의 열의 이동과 관련하여 자신이 한 일을 말하였으므로 이 글의 내용과 관련된 겪은 일을 떠올리지 못하였습니다.

2 주로 고체에서 열이 물질을 따라 온도가 높은 곳에서 낮은 곳으로 전달되는 현상을 '전도'라고 합니다.

　채점 기준
　온도가 높은 곳에서 낮은 곳으로 전달된다는 내용을 앞뒤 말에 이어지게 썼으면 정답으로 합니다.

3 ㉠에는 여러 가지 물건 중 밑바닥이 열이 잘 전달되는 금속 물질로 만들어진 물건이 들어가야 합니다. 따라서 다리미가 들어가야 알맞습니다.

4 뜨거운 냄비에 넣어 둔 쇠 국자의 손잡이를 맨손으로 잡으면 델 수 있는 현상, 뜨거운 국물에 담가 둔 쇠숟가락이 손잡이까지 뜨거워지는 현상, 삶은 고구마를 쇠젓가락으로 찌르고 있으면 손잡이까지 뜨거워지는 현상을 바탕으로 구리, 쇠, 은 등의 금속은 열이 잘 전달된다는 것을 알 수 있습니다.

022쪽 · 똑똑한 **하루 독해** 어휘

1 (1) 맨발　(2) 맨주먹　2 담그다
3 (1) 쇠(구리)　(2) 구리(쇠)

1 (1) '아무것도 신지 않은 발.'은 '맨발'입니다.
　(2) '아무것도 가지지 않은 빈주먹.'은 '맨주먹'입니다.

2 '담그다'는 '액체 속에 넣다.'라는 뜻입니다. '담그다'를 '담구다'라고 잘못 쓰지 않도록 주의해야 합니다.

3 금속은 '쇠', '구리', '은'을 포함하는 말입니다.

　(왜 틀렸을까?)
　'나무'와 '플라스틱'은 열과 전기를 잘 통과시키며 특유의 광택이 있는 단단한 물질인 '금속'에 포함되지 않습니다.

023쪽 · 똑똑한 **하루 독해** 게임

◉ 첫 번째 친구는 뜨거운 국을 뜰 때 덜 뜨거운 국자를 찾고 있으므로, 열이 잘 전달되지 않는 나무로 만든 국자를 선택해야 합니다. 두 번째 친구는 물을 더 빨리 끓일 수 있는 주전자를 찾고 있으므로, 열이 잘 전달되는 금속으로 만든 주전자를 선택해야 합니다. 세 번째 친구는 뜨거운 국을 담았을 때 덜 뜨거운 그릇을 찾고 있으므로, 열이 잘 전달되지 않는 플라스틱으로 만든 그릇을 선택해야 합니다.

3일

025쪽 똑똑한 하루 독해 미리 보기

❶ 우주 ❷ 보름

026쪽~027쪽 똑똑한 하루 독해

1 나가는 동그란 등 **2** 예림 **3** ②
4 ❶ 문 ❷ 보름 ❸ 우주

1 이 시의 제목은 「달」입니다. 그런데 1연에서 '우주로 나가는 / 동그란 문.'이라고 하였습니다. 이를 통하여 달을 우주로 나가는 동그란 문에 빗대어 표현하였다는 것을 알 수 있습니다.

> **채점 기준**
> '나가는 동그란'이라는 내용을 앞뒤 말과 이어지게 썼으면 정답으로 합니다.

2 이 시에서 달을 문에 빗대어 표현한 까닭을 알려면 우리에게 보이는 달의 모양과 문이 열리고 닫히는 모습에 어떤 비슷한 점이 있는지 생각해 보아야 합니다. 달이 동그랗게 보이면 문이 열리는 것 같고, 눈썹처럼 보이면 문이 닫히는 것 같아서 달을 문에 빗대어 표현하였을 것입니다.

> **〔 왜 틀렸을까? 〕**
> 이 시에서는 달이 '동그란 문'이라고 표현되어 있을 뿐 네모난 모양으로 보인다는 표현은 없으므로 석현이와 같이 짐작하는 것은 알맞지 않습니다.

3 ㉠은 '우주, / 얼마나 크기에?'와 같이 물음표로 문장을 끝맺고 있습니다. 따라서 이를 바탕으로 하여 우주가 얼마나 클지 궁금한 마음일 것이라고 짐작할 수 있습니다.

4 이 시에서는 달이 우주로 나가는 동그란 문인 것 같다고 표현하였습니다. 그리고 이 문을 활짝 여는 데 보름 걸리고, 꼭 닫는 데 보름 걸린다고 표현하였습니다. 그리고 우주가 얼마나 클지 궁금한 마음을 묻는 문장으로 표현하였습니다.

028쪽 똑똑한 하루 독해 어휘

1 15 **2** (1) 들어오는 (2) 닫는 **3** (2) ○

1 '보름'은 열닷새 동안을 말하는데, '열닷새'는 15일을 말합니다.

> **〔 더 알아보기 〕**
> '보름'에는 '음력으로 그달의 열닷새째 되는 날.'이라는 뜻도 있습니다. 이 뜻으로 사용하려면 '정월 보름에 보름달을 보았다.'와 같이 쓸 수 있습니다.

2 (1) '나가는'의 반대말은 '어떤 범위의 밖에서 안으로 이동하는.'이라는 뜻의 '들어오는'입니다.
(2) '여는'의 반대말은 '열린 문짝 따위를 도로 제자리로 가게 하여 막는.'이라는 뜻의 '닫는'입니다.

3 '꼭! / 닫는 데 / 보름 걸리고.'에서 '걸리고'는 '시간이 들고.'라는 뜻입니다. 이와 같은 뜻으로 쓰인 것은 (2)의 '운동 준비를 하는 데 30분이나 걸리고 말았다.'에 쓰인 '걸리고'입니다.

> **〔 왜 틀렸을까? 〕**
> (1): '추운 날 운동을 해서 감기에 걸리고 말았다.'에서 '걸리고'는 '병이 들고.'의 뜻으로 쓰였습니다.

029쪽 똑똑한 하루 독해 게임

일식은 달 이 태 양 을 가리는 현상이에요.

● 이 만화에서는 달과 관련된 재미있는 현상 중 '일식'에 대하여 설명해 주고 있습니다. 아빠의 말 중 "일식은 달이 태양을 가리는 현상을 말한단다."를 통하여 일식이 어떤 현상인지 알 수 있습니다.

> **〔 더 알아보기 〕**
> **'일식'의 종류에 대하여 더 알아보기**
> • **부분 일식**: 달이 태양의 일부를 가리는 현상.
> • **개기 일식**: 달이 태양의 전부를 가리는 현상.
> • **금환식**: 달이 태양의 중앙부만을 가려 변두리는 고리 모양으로 빛나는 현상.

4일

031쪽

똑똑한 **하루 독해** 미리 보기

1 채택   **2** 무술   **3** 재주

032쪽~**033**쪽

똑똑한 **하루 독해**

1 ④   **2** 몸과 마음을 건강하게 지켜 나가기 등
3 소유   **4** ❶ 궁궐 ❷ 격구 ❸ 말

1 '내외'는 '안과 밖을 아울러 이르는 말.'이라는 뜻으로, 이 말과 바꾸어 쓸 수 있는 낱말은 '안팎'입니다.

2 '왕과 신하들도 머리를 식히고, 몸과 마음을 건강하게 지켜 나가기 위해서 놀이를 즐겼어요.'에 나타납니다.

> **채점 기준**
> '몸과 마음을 건강하게 지켜 나가기'라는 내용을 앞뒤 말에 이어지게 썼으면 정답으로 합니다.

3 이 글에서는 궁궐에서 하던 놀이인 '격구'와 '마상재'에 대해 설명하고 있으므로, 이 글을 훑어 읽고 소유가 원하는 정보를 찾을 수 있습니다.

4 이 글에서 설명하는, 궁궐에서 즐기던 놀이로는 '격구'와 '마상재'가 있습니다. '격구'는 두 편으로 나뉘어 말을 타고 달리면서 채로 공을 쳐서 상대방 골문에 넣는 놀이이고, '마상재'는 말 위에서 여러 가지 재주를 부리는 놀이입니다.

034쪽

똑똑한 **하루 독해** 어휘

1 (1) ②   (2) ③   (3) ①   **2** (3) ○

1 (1) '머리를 맞대고'는 '어떤 일을 의논하거나 결정하기 위하여 서로 마주 대하고.'라는 뜻의 관용 표현입니다.
     (2) '골치를 앓고'는 '어떻게 하여야 할지 몰라서 머리가 아플 정도로 생각에 몰두하고.'라는 뜻의 관용 표현입니다.
     (3) '머리를 식히고'는 '흥분되거나 긴장된 마음을 가라앉히고.'라는 뜻의 관용 표현입니다.

2 '탈것이나 짐승의 등 따위에 몸을 얹고.'라는 뜻으로 쓰인 것은 (3)의 '많은 여행자들이 낙타를 <u>타고</u> 지나 갔다.'에 쓰인 '타고'입니다.

> **왜 틀렸을까?**
> (1): '마당에 쌓아 둔 장작이 <u>타고</u> 있었다.'에서 '타고'는 '불씨나 높은 열로 불이 붙어 번지거나 불꽃이 일어나고.'의 뜻입니다.
> (2): '한 연주자가 가야금을 <u>타고</u> 있었다.'에서 '타고'는 '악기의 줄을 퉁기거나 건반을 눌러 소리를 내고.'의 뜻입니다.

035쪽

똑똑한 **하루 독해** 게임

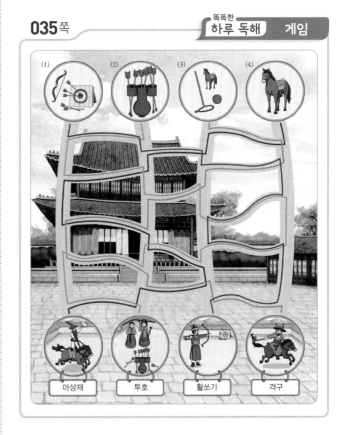

○ 활로 화살을 쏘아 과녁을 맞히는 놀이는 '활쏘기'입니다. 두 사람이 일정한 거리에서 푸른색과 붉은색의 화살을 던져 병 속에 많이 넣는 사람이 이기는 놀이는 '투호'입니다. 말을 타고 달리면서 숟가락처럼 생긴 채로 공을 쳐서 상대방 골문에 넣는 놀이는 '격구'입니다. 말 위에서 여러 가지 재주를 부리는 놀이는 '마상재'입니다.

5일

037쪽 — 똑똑한 하루 독해 미리 보기

1 실천　　**2** 계획　　**3** 점검

038쪽~039쪽 — 똑똑한 하루 독해

1 자신의 운동 습관이 어떠하였는지 등　　**2** ①
3 (2) ○　　**4** ❶ 미만　❷ 달리기　❸ 줄넘기

1 '운동 실천 계획을 세우려면 먼저 평소 자신의 운동 습관이 어떠하였는지 점검을 해야 합니다.'를 보고 알 수 있습니다.

> **채점 기준**
> '자신의 운동 습관'이라는 내용이 들어가게 썼으면 정답으로 합니다.

2 이 「운동 습관 점검표」에서는 운동을 하는 까닭에 대하여 질문하지 않았습니다.

3 '회'와 '분'과 같은 무엇을 세는 말은 앞말과 띄어 써야 하므로 '삼 회', '삼십 분'과 같이 띄어 써야 알맞습니다.

4 이 「운동 습관 점검표」에 대답한 내용으로 보아 12살 여자아이 김민지는 일주일에 0~1회 정도, 1회당 10분 미만으로 달리기를 혼자 하였습니다. 그리고 앞으로 일주일에 3회 이상, 1회당 30분 동안 친구와 함께 줄넘기를 꾸준히 하겠다는 계획을 세웠습니다.

040쪽 — 똑똑한 하루 독해 어휘

1 세워　　**2** (1) 이상　(2) 미만
3 (1) 운동　(2) 수영

1 앞으로 어떻게 운동할지 계획을 짜 보았다는 뜻의 문장에는 '세워'가 들어가야 알맞습니다.

2 (1) '이하'의 반대말은 '수량이나 정도가 일정한 기준보다 더 많거나 나음.'이라는 뜻의 '이상'입니다.
　　(2) '초과'의 반대말은 '일정한 수량이나 정도에 이르지 못함.'이라는 뜻의 '미만'입니다.

---

3 (1) '달리기'와 '줄넘기'를 포함하는 말은 '운동'입니다.
　　(2) '달리기', '줄넘기'와 함께 '운동'에 포함되는 말은 '수영'입니다.

041쪽 — 똑똑한 하루 독해 게임

○ 친구와 함께 줄넘기를 하고 있는 여자아이를 찾아야 합니다. 줄넘기하는 친구들 중 가장 왼쪽에 있는 노란색 상의를 입은 여자아이가 민지입니다.

042쪽~043쪽 — 평가 누구나 100점 테스트

1 ㉠　　**2** (2) ○　　**3** ③　　**4** (2) ○
5 ②　　**6** 달　　**7** ③, ④　　**8** ㈏
9 ③　　**10** ⑤

1 일이 일어난 때를 알려 주는 말은 '졸업식 날 아침'입니다.

2 글의 내용으로 보아, 달걀을 가져간 사람은 막내이며, 막내는 어머니가 졸업식에 신고 갈 고무신을 사기 위해 달걀을 가져갔다는 것을 알 수 있습니다.

3 어머니께서는 자신을 위해 고무신을 사 온 막내가 고맙고 대견했을 것입니다.

4 (1) 유리, 플라스틱, 나무 등과 같은 고체는 열이 잘 전달되지 않습니다.
(3) 고체에서 열은 물질을 따라 온도가 높은 곳에서 낮은 곳으로 전달됩니다.

5 구리, 쇠, 은을 모두 포함하는 낱말은 '금속'입니다.

6 '우주로 나가는 / 동그란 문.'은 동그란 달을 빗대어 표현한 것입니다.

7 '보름'은 '열닷새 동안.'이라는 뜻이며, '열닷새'는 15일을 말합니다.

8 글 ㈎는 두 편으로 나뉘어 말을 타고 달리면서 하는 놀이인 격구에 대해 설명하였고, 글 ㈏는 말 위에서 여러 가지 재주를 부리는 놀이인 마상재에 대해 설명한 글입니다. 따라서 진주는 글 ㈏에서 필요한 정보를 얻을 수 있습니다.

9 격구는 말을 타고 달리면서 하는 놀이이고, 마상재는 말 위에서 여러 가지 재주를 부리는 놀이이므로, 둘 다 말이 필요합니다.

10 '이상'은 '수량이나 정도가 일정한 기준보다 더 많거나 나음.'이라는 뜻이므로, 뜻이 반대인 낱말은 '수량이나 정도가 일정한 기준보다 더 적거나 모자람.'이라는 뜻의 '이하'입니다.

⌈ 왜 틀렸을까? ⌉

뜻이 반대인 낱말

• 초과 ⇔ 미만   • 감소 ⇔ 증가

044쪽~049쪽 **특강** 창의·융합·코딩

1 ❶ 늑장 ❷ 점검 ❸ 삶은
2 막내가 시장에 내다 판 달걀의 무게는 모두 합하여 **215** 그램이에요.

3
❶ 오른쪽으로	❷ 위쪽으로	❸ 왼쪽으로	❹ 위쪽으로
2 칸 간다. →	2 칸 간다. ↑	2 칸 간다. ←	1 칸 간다. ↑

4 (1) 채워서 (2) 액수 (3) 넣으면
5 (1) ① 보 폭 ② 보 행
(2) 五 十 步 百 步

1 1주에서 배운 낱말을 떠올리며 알맞은 답을 씁니다.

2 특란 1개의 무게는 60g, 대란 1개의 무게는 55g, 중란 2개의 무게는 100g이므로, 무게를 모두 합하면 60 + 55 + 100 = 215g(그램)입니다.

3 출발 지점에서 못, 포크, 동전, 열쇠, 숟가락, 금반지를 모두 지나 도착 지점에 도착하려면 오른쪽으로 2칸, 위쪽으로 2칸, 왼쪽으로 2칸, 위쪽으로 1칸 이동해야 합니다.

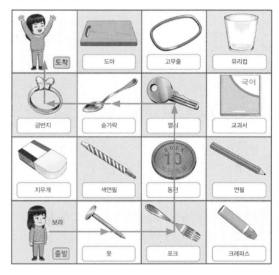

4 (1) '충전'은 '교통 카드 따위의 결제 수단을 사용할 수 있게 돈이나 그것에 해당하는 것을 채움.'이라는 뜻이므로, '채워서'가 알맞습니다.
(2) '금액'은 '돈의 액수.'라는 뜻이므로, '액수'가 알맞습니다.
(3) '투입'은 '던져 넣음.'이라는 뜻이므로, '넣으면'이 알맞습니다.

5 (1) ① 보폭(步幅): 걸음을 걸을 때 앞발 뒤축에서 뒷발 뒤축까지의 거리.
② 보행(步行): 걸어 다님.
(2) 빈칸에 들어갈 한자는 步(걸음 보) 자입니다.

052쪽~053쪽 　2주에는 무엇을 공부할까? ②

1-1 기다랗게 　　　　**1-2** (2) ○
2-1 ㉢ 　　　　　　**2-2** 눈을 붙였다

1-1~1-2 '매우 길거나 생각보다 길게.'라는 뜻을 가진 낱말의 바른 표기는 '기다랗게'입니다.

2-1~2-2 '잠을 자다'라는 뜻의 관용어는 '눈을 붙이다'입니다.

【 더 알아보기 】

'눈'과 관련된 관용어

· **눈에 띄다**: 두드러지게 드러나다.
· **눈이 많다**: 보는 사람이 많다.

1일

055쪽 　똑똑한 하루 독해 | 미리 보기

❶ 울타리　　❷ 한숨　　❸ 근사한

056쪽~057쪽 　똑똑한 하루 독해

1 (울타리에) 페인트칠 등　　**2** (2) ○　　**3** ④
4 ❶ 잼　❷ 벌　❸ 페인트칠

1 톰은 잼을 몰래 훔쳐 먹은 벌로 화창한 토요일 아침부터 울타리에 페인트칠을 하게 되어 한숨을 쉬었습니다.

채점 기준
벌로 페인트칠을 하게 되었다는 내용이 들어가게 답을 썼으면 정답으로 합니다.

2 (2) '숙제한 지'에서 '지'는 '어떤 일이 있었던 때로부터 지금까지의 동안.'을 나타내는 말로 띄어 씁니다.

3 톰은 벤에게 페인트칠을 시키기 위하여 페인트칠이 얼마나 즐겁고 신나는 일인지 보여 주려는 말과 행동들을 했습니다. ④는 톰이 벤에게 페인트칠을 시키기 위하여 한 말과 행동으로 알맞지 않습니다.

4 글의 내용을 톰에게 일어난 일, 톰의 말과 행동, 톰의 의도로 나누어 정리하여 봅니다.

058쪽 　똑똑한 하루 독해 | 어휘

1 (1) ○　　**2** (2) ○　　**3** (3) ○

1 '페인트칠'은 영어 '페인트(paint)'와 한자 '칠(漆)'을 합한 낱말입니다. (1)'펜촉'은 영어 '펜(pen)'과 한자 '촉(鏃)'을 합한 낱말로 '펜의 뾰족한 끝.'이라는 뜻입니다.

【 왜 틀렸을까? 】
(2): '햄버거'는 영어(hamburger)로 된 낱말입니다.

2 주어진 문장의 '미심쩍어' 부분에 '분명하지 못하여 마음이 놓이지 않는 데가 있어.'라는 뜻을 넣어도 어색하지 않은 문장은 (2)입니다.

3 '건네주었다'는 '돈, 물건 따위를 남에게 옮기어 주었다.'의 뜻으로, 뜻이 반대인 낱말은 '건네받았다'입니다.

【 왜 틀렸을까? 】
(1) **물려주었다**: 재물이나 지위 또는 기예나 학술 따위를 전하여 주었다.
(2) **주고받았다**: 서로 주기도 하고 받기도 하였다.

059쪽 　똑똑한 하루 독해 | 게임

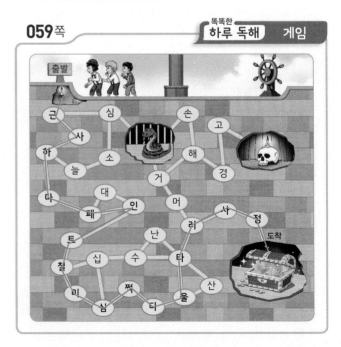

◉ '근사하다 → 페인트칠 → 미심쩍다 → 울타리 → 사정'의 순서로 길을 따라가 봅니다.

061쪽 하루 독해 미리 보기

❶ 롤러코스터 ❷ 놀이공원 ❸ 뫼비우스

062쪽~063쪽 하루 독해

1 (1) ✕ 2 (2) ○ 3 한 번 꼬여 있는 등
4 ❶ 롤러코스터 ❷ 180(백팔십) ❸ 밖

1 뫼비우스의 띠는 기다랗게 자른 종이를 180도 비틀어서 한쪽 끝을 다른 쪽에 붙인 것입니다. 띠의 한쪽 면의 중앙을 따라 선을 쭉 그으면 뒷면인가 싶다가도 어느새 처음 출발한 곳으로 돌아오게 되어, 안과 밖을 구분할 수 없고 띠에 한 면만 있다는 것을 증명해 줍니다.

　〔 왜 틀렸을까? 〕
　(1): '뫼비우스의 띠'는 안과 밖을 구분할 수 없습니다.

2 기다랗게 자른 종이를 180도 비틀어서 붙인 것을 찾으면 (2)입니다.

　〔 왜 틀렸을까? 〕
　(1) : 띠를 비틀지 않고 양쪽을 붙인 것으로, 안과 밖이 구분됩니다.
　(3) : 띠의 양쪽을 붙이지 않은 것으로, 안과 밖이 구분됩니다.

3 방앗간이나 공장에서는 뫼비우스의 띠의 원리를 이용한 한 번 꼬여 있는 벨트를 사용합니다.

　채점 기준
　한 번 꼬여 있는 벨트로 기계를 돌린다는 내용으로 답을 썼으면 정답으로 합니다.

4 롤러코스터의 원리, 뫼비우스의 띠에 대한 설명, 뫼비우스의 띠가 이용되는 곳에 대한 내용을 파악하여 중요한 내용을 정리해 봅니다.

064쪽 하루 독해 어휘

1 (2) ○ 2 (1) ② (2) ③ (3) ①
3 (1) 주스 (2) 케이크 (3) 텔레비전

1 (2)의 '떴다'는 '감았던 눈을 벌렸다.'라는 뜻으로 쓰였습니다.

　〔 왜 틀렸을까? 〕
　(1)에서 '뜨기'는 '물속이나 지면 따위에서 가라앉거나 내려앉지 않고 물 위나 공중에 있거나 위쪽으로 솟아오르기.'라는 뜻입니다.

2 (1) '안'은 '어떤 물체나 공간의 둘레에서 가운데로 향한 쪽.'이라는 뜻이고, (2) '기다랗게'는 '매우 길거나 생각보다 길게.'라는 뜻이며, (3) '지상'은 '땅의 위.'라는 뜻입니다.

3 외래어는 외국에서 들어온 말이지만 우리나라에서 국어처럼 자연스럽게 쓰이는 낱말로 외래어 표기법에 따라 바르게 써야 합니다.

065쪽 하루 독해 게임

◎ 귀가 달린 머리띠를 하고 줄무늬 티셔츠에 멜빵바지를 입은 철수는 앞쪽에 있는 롤러코스터의 세 번째 줄에 타고 있습니다.

1 피고   **2** 엄벌   **3** 기소

1 (1) ○   **2** (2) ○
3 (어린이들에게 사랑의) 선물 등
4 ❶ 재판   ❷ 판사   ❸ 검사

1 희곡의 해설 부분을 읽고 연극으로 공연할 무대 모습을 떠올려 봅니다. 이 글은 산타클로스가 재판을 받고 있는 상황으로, 남자아이는 글의 내용과 어울리지 않는 장면을 말하였습니다.

{ 더 알아보기 }
희곡의 해설
• 희곡의 시작 부분에서 때, 곳, 나오는 인물과 무대 장치나 배경을 자세하게 설명해 주는 부분을 해설이라고 합니다.
• 희곡의 시작 부분에서 이야기의 때와 장소를 설명하고, 나오는 사람이 누구인지 알려 주므로 우리가 처음 희곡을 읽을 때 이 연극이 언제 어디를 배경으로 하는지, 어떤 인물이 나오는지 미리 짐작할 수 있어서 내용을 이해하는 데 도움을 줍니다.

2 판사의 대사 앞에 인물의 행동이나 표정을 나타내는 지문의 내용을 보면, 판사의 말은 무슨 말인지 알겠다는 표정으로 빙긋 웃으며 읽는 것이 어울립니다.

{ 더 알아보기 }
희곡의 지문
• 희곡은 무대 상연을 위한 연극의 대본이기 때문에 희곡에는 인물이 어떤 동작이나 표정, 말투 등으로 대사를 해야 하는지 나와 있는데 이러한 표시를 지문이라고 합니다.
• 지문은 대사 앞이나 뒤의 괄호 안에 넣어 나타냅니다.
• 지문은 대사의 내용을 더욱 실감 나게 해 줍니다.

3 검사가 산타클로스를 기소한 까닭을 말하고 있습니다.

채점 기준
어린이들에게 사랑의 선물을 전한다는 내용이 들어가게 답을 썼으면 정답으로 합니다.

4 재판이 시작되고 판사와 산타클로스, 검사의 대사를 통해 어떤 상황이 펼쳐지고 있는지 잘 나타나게 내용을 정리해 봅니다.

1 같이, 끝이, 샅샅이   **2** (2) ○

1 보기 의 '붙이는'은 받침 'ㅌ'이 'ㅣ' 모음을 만나 [치]으로 바뀌어 소리 나는 낱말입니다. 이와 같이 소리 나는 낱말을 찾아봅니다. 주어진 낱말 중 '같이'는 [가치]로, '끝이'는 [끄치]로, '샅샅이'는 [삳싸치]로 소리 납니다.

{ 왜 틀렸을까? }
'밭에', '코밑에'와 같이 받침 'ㅌ' 다음에 모음 'ㅣ'가 아닌 다른 모음이 오면 원래 받침인 'ㅌ'이 그대로 이어져서 '밭에'는 [바테]라고 소리 나고, '코밑에'는 [코미테]라고 소리 납니다. '겉옷'은 [거돋]이라고 소리 납니다.

2 '손꼽아 기다리다'는 '기대에 차 있거나 안타까운 마음으로 날짜를 꼽으며 기다리다.'라는 뜻의 관용 표현입니다.

{ 왜 틀렸을까? }
(1)은 깜짝 놀란 상황이므로 기다리는 상황과 어울리지 않습니다.

법원에서 피고나 원고를 변호하는 사람은 (판사 , 검사 , <u>변호사</u> , 서기)예요.

◉ 판사, 검사, 변호사, 서기가 하는 일을 잘 살펴보면, 법원에서 피고나 원고를 변호하는 사람은 '변호사'라는 것을 알 수 있습니다.

4일

073쪽 **똑똑한 하루 독해** 미리 보기

❶ 대보름   ❷ 풍속   ❸ 한여름

074쪽~**075**쪽 **똑똑한 하루 독해**

1 (1) ① (2) ②   **2** 더위를 먹지 않는다 등
3 (3) ○   **4** ❶ 먹다 ❷ 몸 ❸ 더위

1 (1) '아무리'는 '정도가 매우 심함을 나타내는 말.'로 '암만'으로 바꾸어 쓸 수 있고, (2) '종종'은 '시간적·공간적 간격이 얼마쯤씩 있게.'라는 뜻으로 '가끔'으로 바꾸어 쓸 수 있습니다.

2 옛날에는 여름이 되면 더위에 지쳐 몸이 아픈 사람들이 많았고 더워서 죽는 사람도 종종 있었기 때문에 음력 정월 대보름에 더위를 팔면 그해 여름에 더위를 먹지 않는다고 믿는 풍속이 생긴 것입니다.

> **채점 기준**
> '더위를 먹지 않는다'는 내용이나 '덥지 않다' 등의 내용이 들어가게 답을 썼으면 정답으로 합니다.

3 '더위 먹다'는 '여름철에 더위 때문에 몸에 이상 증세가 생기다.'라는 뜻의 관용어입니다. 관용어의 뜻은 앞뒤 문장을 잘 살펴보고 관용어에 포함된 낱말의 뜻을 생각해 보면 짐작할 수 있습니다.

> **〔 더 알아보기 〕**
> **관용 표현**
> 관용 표현은 둘 이상의 낱말이 합쳐져 그 낱말의 원래 뜻과는 다른 새로운 뜻으로 굳어져 쓰이는 표현을 말합니다.
> **관용 표현을 활용하면 좋은 점**
> • 전하고 싶은 말을 쉽게 표현할 수 있습니다.
> • 재미있는 표현이어서 듣는 사람의 관심을 불러일으킬 수 있습니다.
> • 하려는 말을 상대가 쉽게 알아들을 수 있습니다.

4 '먹다'의 여러 가지 뜻을 생각하여 '더위 먹다'라는 말의 뜻을 정리하여 봅니다.

076쪽 **똑똑한 하루 독해** 어휘

1 (3) ×   **2** 풍속

1 (1) '애호박'은 '어린' 또는 '작은'의 뜻을 더하는 말인 '애-'와 '호박'을 합한 낱말로, '덜 여문 어린 호박.'이라는 뜻입니다.

(2) '풋고추'는 '처음 나온' 또는 '덜 익은'의 뜻을 더하는 말인 '풋-'과 '고추'를 합한 낱말로, '아직 익지 않은 푸른 고추.'라는 뜻입니다.

(3) '복숭아'는 더 이상 쪼갤 수 없는 낱말입니다.

> **〔 더 알아보기 〕**
> **단일어와 복합어**
> • **단일어**: 나누면 본디의 뜻이 없어져 더는 나눌 수 없는 낱말
> • **복합어**: 뜻이 있는 두 낱말을 합한 낱말(합성어), 뜻을 더해 주는 말과 뜻이 있는 낱말을 합한 낱말(파생어)

2 '더위팔기', '쥐불놀이', '그네뛰기'를 포함하는 관계의 낱말은 '풍속'입니다.

077쪽 **똑똑한 하루 독해** 게임

◎ (1) 호두와 밤을 먹는 풍속은 '부럼 깨물기'이고, (2) 다리를 건너는 풍속은 '다리밟기'입니다.

5일

079쪽 · 똑똑한 하루 독해 미리 보기

❶ 승객 ❷ 운송 ❸ 소지

080쪽~**081**쪽 · 똑똑한 하루 독해

1 승객에게 피해를 줄 것으로 판단 등 2 ①, ④
3 ❶ 운전자 ❷ 음식물 ❸ 포장

1 '위해'라는 낱말의 뜻을 짐작할 때에는 앞에 나오는 '안전을 위해한다'는 말과 뒤에 나오는 '승객에게 피해를 줄 것으로 판단'이라는 말을 살펴보면 그 뜻을 짐작해 볼 수 있습니다.

> **채점 기준**
> 뒤에 나오는 말인 '승객에게 피해를 줄 것으로 판단' 등의 말이 들어가게 답을 썼으면 정답으로 합니다.

2 운전자는 내용물이 밖으로 흐르거나 샐 수 있는 음식물, 포장되어 있지 않아 차내에서 먹을 수 있는 음식물을 소지하고 있는 사람의 운송을 거부할 수 있습니다.

> **왜 틀렸을까?**
> ①, ④: 차내에서 음식을 먹고 있는 사람은 운전자가 운송을 거부할 수 있습니다.
> ②, ③: 차내에서 음식을 먹을 목적이 아니고 단순히 운반하기 위해 포장된 음식물 또는 식재료를 가지고 있는 사람은 탑승이 허용됩니다.

3 이 글은 시내버스를 탈 때에는 음식물을 가지고 타면 안 된다는 내용의 안내문입니다. 반입 금지에 해당하는 음식물은 무엇인지 생각하며 글의 내용을 정리해 봅니다.

082쪽 · 똑똑한 하루 독해 어휘

1 (1) 셌다 (2) 샜다
2 (1) 소지 (2) 금지 (3) 하차

---

1 (1)은 '사물의 수를 헤아리거나 꼽았다.'의 뜻인 '셌다'가 알맞고, (2)는 '기체, 액체 따위가 틈이나 구멍으로 조금씩 빠져 나가거나 나왔다.'의 뜻인 '샜다'가 알맞습니다.

2 보기 에 나오는 낱말의 뜻을 알아보고, 그림과 문장에 알맞은 낱말을 찾아 씁니다.

083쪽 · 똑똑한 하루 독해 게임

◉ 교통 약자석에 앉아서 교통 약자에게 자리를 양보 안 하는 사람, 전화 통화를 큰 소리로 하는 사람, 차내에서 음식물을 먹는 사람, 반려동물을 그냥 안고 탄 사람, 뒷문으로 승차하는 사람을 찾아봅니다.

084쪽~**085**쪽 · 평가 누구나 100점 테스트

1 ⑤　　2 (2) ○　　3 뫼비우스　　4 ③, ④
5 (3) ○　　6 ③　　7 (3) ○
8 (음력) 정월 대보름　　9 (2) ○　　10 샐

1 '건네주었다'는 '돈, 물건 따위를 남에게 옮기어 주었다.'라는 뜻이므로, 뜻이 반대인 낱말은 '남으로부터 물건을 옮기어 받았다.'라는 뜻의 '건네받았다'입니다.

2 톰은 친구들의 흥미를 끌기 위해 노래를 부르며 칠을 해 댔고, 페인트칠을 하게 해 달라는 친구에게 일부러 못마땅한 척하며 붓을 건네주었습니다. 톰의 말과 행동으로 보아, 톰은 친구들이 페인트칠을 하고 싶게 만들려는 것임을 알 수 있습니다.

3 뫼비우스의 띠는 독일의 수학자이자 천문학자인 뫼비우스가 생각해 낸 것입니다.

4 '외래어'는 '주스, 케이크'처럼 외국에서 들어온 말로, 국어에서 널리 쓰이는 낱말을 말합니다. 나무, 하늘, 어머니는 우리 고유의 말입니다.

┌─ **더 알아보기** ─
· **고유어**: 땅, 구름, 무지개, 항아리 등
· **한자어**: 등산, 독서, 학교, 감기, 인간 등
· **외래어**: 라디오, 바나나, 버스, 우동 등
└─

5 한 번 꼬여 있는 벨트로 기계를 돌리면 벨트의 모든 면이 기계에 골고루 닿게 되므로 벨트의 수명이 훨씬 길어집니다.

6 판사와 검사가 등장하는 것으로 보아, 재판정을 배경으로 한 희곡입니다.

7 검사는 산타클로스가 매년 크리스마스 이브에 사랑의 선물을 전한다는 불가능한 약속을 하여 어린이와 부모님을 상심하게 하였기 때문에 엄벌에 처해야 한다고 말하였습니다.

8 글에 음력 정월 대보름에 '더위팔기'라는 것을 하였다고 하였습니다.

9 음력 정월 대보름에 다른 사람에게 더위를 팔면 더위를 판 사람은 그해 여름에 더위를 먹지 않는다고 믿었습니다.

10 주어진 문장의 의미는 내용물이 틈이나 구멍으로 빠져나온다는 의미이므로, '기체, 액체 따위가 틈이나 구멍으로 조금씩 빠져 나가거나 나올.'의 뜻인 '샐'로 고쳐 써야 합니다.

┌─ **왜 틀렸을까?** ─
· **세다**: 사물의 수효를 헤아리거나 꼽다.
　예 선생님께서 학생들의 수를 세고 계셨다.
└─

086쪽~**091**쪽　　**특강** 창의·융합·코딩　**정답 및 해설**

1 ❶ 수명　**❷** 불결　**❸** 엄벌
2 (1) 희수가 칠한 색: (빨강)
　(2) 대희가 칠한 색: (초록)
3 (2) ○
4 (1) 안정되지 못한　(2) 걱정　(3) 함께
5 (1) ① 정 직　② 공 정
　(2) 事 必 歸 正

1 2주에서 배운 낱말을 떠올리며 알맞은 답을 각각 써 봅니다.

2 (1) 자홍과 노랑을 섞으면 빨강이 됩니다.
　(2) 노랑과 청록을 섞으면 초록이 됩니다.

3 먼저 왼쪽으로 1칸, 위쪽으로 1칸을 움직입니다. 이것을 3번 반복하면 사랑의 선물을 모두 가지고 마을에 도착할 수 있습니다.

4 (1) '불안정'은 '안정성이 없거나 안정되지 못한 상태임.'이라는 뜻이므로, '안정되지 못한'이 알맞습니다.
　(2) '우려'는 '근심하거나 걱정함. 또는 그 근심과 걱정.'이라는 뜻이므로, '걱정'이 알맞습니다.
　(3) '동반'은 '일을 하거나 길을 가는 따위의 행동을 할 때 함께 짝을 함. 또는 그 짝.'이라는 뜻이므로, '함께'가 알맞습니다.

5 (1) ① 정직(正直): 마음에 거짓이나 꾸밈이 없이 바르고 곧음.
　② 공정(公正): 공평하고 올바름.
　(2) 빈칸에 들어갈 한자는 正(바를 정) 자입니다.

3주 정답 및 해설

1-1 만약   1-2 (2) ○

2-1 벌리고   2-2 벌이고, 벌리고

1-1~1-2 '만약'은 '혹시 있을지도 모르는 뜻밖의 경우에.'라는 뜻으로, '만약 ~(이)라면' 형태로 쓰입니다.

2-1~2-2 '벌리고'는 '둘 사이를 넓히거나 멀게 하고.'라는 뜻이고, '벌이고'는 '일을 계획하여 시작하거나 펼쳐 놓고.'라는 뜻입니다.

1일

1 태평양   2 풍요로운   3 낚싯바늘

1 진호, 요한   2 플라스틱 조각들 등

3 ④   4 ❶ 바다 ❷ 먹이

1 위즈덤은 태평양에 있는 미드웨이섬이란 곳에 살고 있는 알바트로스라는 새입니다. 위즈덤은 이제까지 풍요롭던 바다에서 더 이상 먹이를 찾을 수 없게 되자 걱정스런 마음에 편지를 쓰게 되었습니다.

2 위즈덤은 사람들의 낚싯바늘과 사람들이 버린 플라스틱 조각들 때문에 더 이상 바다에서 먹이를 찾기 힘들게 되자 편지를 쓴 것입니다.

> **채점 기준**
> '플라스틱'이라는 말을 넣어 답을 썼으면 정답으로 합니다.

3 독서 토의의 주제는 이야기의 내용과 관련이 있으면서 토의를 통해 이야기의 내용을 더 깊이 이해할 수 있는 것이 알맞습니다.

4 위즈덤은 태평양의 미드웨이섬에 살면서 풍요로운 바다가 주는 먹이를 먹으며 살아왔지만, 사람들 때문에 더 이상 바다에서 먹이를 구할 수 없게 되었습니다. 그래서 깨끗한 바다를 찾아 여행을 떠나야 할 처지가 되었습니다.

1 (1) 낳은 (2) 나은   2 조차

1 (1) 몸 밖으로 새끼들을 내놓았다는 뜻으로 쓰였으므로 '낳은'이 알맞습니다.
   (2) 지금 사냥터보다 더 좋은 사냥터의 의미로 쓰였으므로 '나은'이 알맞습니다.

2 크고 넓은 바다에서 먹이를 구하지 못하게 될 거라고는 단 한 번도 상상해 보지 않았다는 뜻으로 쓴 것이므로 빈칸에는 '조차'가 들어가야 합니다.

◉ 맞춤법에 맞는 낱말이 쓰인 위즈덤의 먹이로 알맞은 것은 '태평양'이라고 써 있는 조개, '무사히'라고 써 있는 물고기, '플라스틱'이라고 써 있는 게입니다. 맞춤법에 맞지 않는 낱말이 쓰인 쓰레기는 '낚시바늘'이라고 써 있는 통조림, '가까히'라고 써 있는 유리병, '깨끗한'이라고 써 있는 과자 봉지입니다. 맞춤법에 맞게 각각 '낚싯바늘', '가까이', '깨끗한'으로 고쳐 써야 합니다.

2일

❶ 식충　　❷ 점액　　❸ 사냥

1 (1) ○　　2 물과 햇빛 등　　3 (1) ○
4 ❶ 선모 ❷ 잎 ❸ 털

1 (1)은 '예를 들어'라는 표현에서 구체적인 예를 들어 설명하는 예시의 설명 방법이 쓰였다는 것을 알 수 있습니다.

{ 왜 틀렸을까? }
(2)는 식충 식물의 뜻을 밝혀 썼으므로 정의의 설명 방법이 쓰였습니다.

2 식물은 물과 햇빛이 있어야 살 수 있다고 하였습니다. 그런데 식물 중에는 독특한 것을 먹고 사는 식물이 있습니다. 식충 식물은 곤충과 같은 작은 동물을 잡아먹고 사는 식물을 말하는데, 그래서 '벌레잡이 식물'이라고도 합니다.

채점 기준
식물은 물과 햇빛이 있어야 살 수 있다는 내용을 썼으면 정답으로 합니다.

3 식충 식물의 예로 덧붙이려면 파리지옥이나 끈끈이주걱처럼 벌레를 잡아먹는 식물의 예를 들어야 합니다. 따라서 (1)의 벌레잡이통을 이용해 벌레를 잡아먹는 '벌레잡이통풀'의 내용이 예로 알맞습니다. (2)의 맹그로브 나무는 씨를 키워서 땅에 내려보내는 특이한 습성이 있는 나무이지 식충 식물은 아닙니다.

4 이 글에서는 식충 식물의 예로 끈끈이주걱과 파리지옥을 들고, 벌레를 잡는 방법을 설명하고 있습니다. 끈끈이주걱은 잎 가장자리에 돋아 있는 '선모'에 달린 점액에 달라붙은 곤충을 잡아먹고, 파리지옥은 두 장의 잎을 벌리고 있다가 곤충이나 작은 동물이 잎 안으로 들어와 털을 건드리면 순식간에 잎을 닫은 후 먹어 버립니다.

1 버둥　　　2 (1) ③ (2) ②

1 낱말 '발'에 주저앉아 몸부림을 하고 있는 그림의 '버둥'을 합하면 제시된 뜻과 같은 '발버둥'이라는 낱말이 됩니다.

{ 왜 틀렸을까? }
제시된 낱말 '발'에 '걸음'을 합쳐 만든 '발걸음'은 발을 옮겨서 걷는 동작을 뜻하는 낱말이고, '걸레'를 합쳐 만든 '발걸레'는 발을 닦기 위한 걸레를 뜻하는 낱말입니다.

2 (1) '특별하게 다른.'이라는 뜻의 '독특한'과 뜻이 반대인 낱말은 '뛰어나거나 색다른 점이 없이 보통인.'이라는 뜻의 '평범한'입니다.
(2) '아주 가는.'이라는 뜻의 '가느다란'과 뜻이 반대인 낱말은 '길쭉한 물건의 둘레가 꽤 큰.'이라는 뜻의 '굵다란'입니다.

◉ 첫 번째 갈림길의 꿀벌이 설명하는 식충 식물은 '파리지옥'입니다. 두 번째 갈림길의 꿀벌이 설명하는 식충 식물은 '끈끈이주걱'입니다.

3일

109쪽 똑똑한 하루 독해 미리 보기

❶ 낙엽 ❷ 함박눈 ❸ 김장

110쪽~111쪽 똑똑한 하루 독해

1 ⑤ 2 '머잖아'라고 썼어. 등 3 (2) ○
4 ❶ 첫눈 ❷ 씨앗 ❸ 김장

1 낙엽도 다 지기 전에 첫눈이 내리는 때라고 하였으므로 겨울 중에서도 이른 겨울을 뜻하는 초겨울이 알맞습니다.

┌ 왜 틀렸을까? ┐
　낙엽이라는 낱말 때문에 이른 가을을 뜻하는 ④'초가을'과 헷갈리기 쉽지만, 낙엽도 다 지기 전이라고 하였고, 이미 첫눈이 온 때이므로 초겨울이 알맞습니다.

2 시조는 행에 따라서 초장, 중장, 종장으로 나뉘는데, 마지막 행인 종장 첫 부분의 글자 수는 항상 세 글자여야만 한다는 규칙이 있습니다. 이러한 까닭으로 종장 첫 부분의 글자 수를 세 글자로 맞추기 위해서 '머지않아'를 '머잖아'라고 줄여 쓴 것입니다.

채점 기준
　'머지않아'를 '머잖아'라고 줄여 썼다는 내용으로 썼으면 정답으로 합니다.

┌ 더 알아보기 ┐
　「첫눈」은 초장·중장·종장의 3행으로 이루어진 부분 두 개로 이루어져 있습니다. 이와 같은 형식의 시조를 연시조라고 합니다. 이러한 연시조에서도 마지막 종장의 첫 부분을 항상 세 글자로 시작하는 등 시조의 기본적인 형식을 지킵니다.

3 이 시조는 초겨울에 조금씩 첫눈이 내리는 모습을 표현한 시조입니다. 따라서 이 시조를 읽고 떠올리기에 알맞은 경험은 (2)입니다.

┌ 왜 틀렸을까? ┐
　시조에 낙엽에 대한 내용은 있지만 떨어지는 낙엽 때문에 아쉬워했던 경험에 대한 내용은 없습니다.

4 첫눈은 낙엽도 다 지기 전에 연습 삼아 쬐끔 온다고 하였습니다. 머잖아 함박눈이다 알리면서 쬐끔 온다고 하였습니다. 그러면서 벌레 알과 씨앗은 잠들고, 춥기 전에 겨울옷과 김장도 준비하라는 소식을 미리 알리려고 첫눈이 내린다고 하였습니다.

112쪽 똑똑한 하루 독해 어휘

1 (1) ③ (2) ② (3) ① 2 현호

1 • 첫눈: 그해 겨울이 시작된 후 처음으로 내리는 눈.
　• 가랑눈: 조금씩 잘게 내리는 눈.
　• 함박눈: 굵고 탐스럽게 내리는 눈.

┌ 더 알아보기 ┐
여러 가지 눈을 나타내는 말 더 알아보기 예
• **싸라기눈**: 빗방울이 갑자기 찬 바람을 만나 얼어 떨어지는 쌀알 같은 눈.
• **진눈깨비**: 비가 섞여 내리는 눈.
• **자국눈**: 겨우 발자국이 날 만큼 적게 내리는 눈.
• **길눈**: 한 길(2.4미터 또는 3미터)이 될 만큼 많이 쌓인 눈.
• **도둑눈**: 밤사이에 사람들이 모르게 내린 눈.

2 '삼아'를 소리 내어 읽으면 [사마]로 소리 납니다. 받침이 있는 말 뒤에 'ㅇ'으로 시작하는 말이 오면 받침이 'ㅇ' 자리로 넘어가서 소리가 나기 때문입니다.

113쪽 똑똑한 하루 독해 게임

(1) ○ (2) ○

◉ 그림 속 아빠께서는 겨울에 수도가 얼지 않도록 감싸고 있고, 엄마께서는 겨울옷을 꺼내 아이들에게 입혀 보고 있습니다. 그 외에도 우리나라에서는 겨울이 되기 전에 겨우내 땔 연탄을 미리 사 놓거나 겨우내 먹을 김장을 담가 놓았습니다.

┌ 왜 틀렸을까? ┐
　(3)처럼 겨울 즈음에 화단에 꽃을 심으면 꽃이 모두 얼어 죽어서 제대로 키울 수가 없습니다.

4일

115쪽 똑똑한 하루 독해 미리 보기

❶ 교류 ❷ 외래문화 ❸ 개량

116쪽~117쪽 똑똑한 하루 독해

1 변화하고 발전하기 등 **2** 지니 **3** (2) ○
4 ❶ 외래 ❷ 영향 ❸ 삼국사기

1 글쓴이는 우리 문화만이 세계 최고라는 지나친 자부심으로 외래문화를 무턱대고 거부해서는 안 된다고 하였습니다. 왜냐하면 문화란 서로 영향을 주고받으면서 변화하고 발전하기 때문이라고 하였습니다.

> **채점 기준**
> 문화란 서로 영향을 주고받으면서 변화하고 발전하기 때문이라는 내용을 썼으면 정답으로 합니다.

2 ㉠의 내용은 외래문화를 잘 받아들여 우리 문화로 발전시킨 예로 외국에서 들어온 악기를 개량하여 거문고와 가야금을 만든 이야기를 든 것이므로 근거를 뒷받침하는 자료로 적절합니다. 그러므로 '지니'가 바르게 말하였습니다.

> **(왜 틀렸을까?)**
> 글쓴이는 가야금과 거문고가 외래 악기를 개량한 것이라는 이야기가 『삼국사기』에 나온다고 출처를 분명히 밝혔습니다. 그러므로 다현이의 말은 틀렸습니다.

3 '개량'의 뜻은 '나쁜 점을 보완하여 더 좋게 고침.'입니다. 이와 뜻이 비슷한 것은 (2)'개선'입니다. (1)'수리'는 고장 나거나 허름한 데를 손보아 원래 상태로 고친다는 것으로 뜻이 다릅니다.

4 글쓴이는 우리 문화에 대한 이해와 자부심을 바탕으로 우리 문화 발전에 도움이 되는 외래문화를 가려서 받아들이는 태도를 가져야 한다고 주장하고 있습니다. 그 근거로 오늘날 우리가 고유문화라고 하는 것도 그 뿌리를 찾아보면 중국을 비롯한 다른 나라의 영향을 받은 경우가 많다며 외래문화를 받아들이는 중요성을 강조하였습니다. 그리고 근거를 뒷받침

하는 자료로 가야금과 거문고도 사실 외래 악기를 개량한 것이라는 이야기를 들었습니다.

> **(더 알아보기)**
> **삼국사기**
> 고려 때 김부식이 왕의 명령에 따라 펴낸 역사책입니다. 신라, 고구려, 백제 세 나라의 역사를 적었으며, 『삼국유사』와 더불어 우리나라에서 현재 전하는 가장 오래된 역사책입니다.

118쪽 똑똑한 하루 독해 어휘

1 (1) 고유문화 (2) 외래문화 **2** (1) 거절 (2) 승낙

1 김치는 우리 민족이 본래 즐겨 먹는 우리 민족만의 독특한 음식 문화이므로 우리의 고유문화입니다. 반대로 피자는 이전에는 없던 다른 나라에서 들어온 음식 문화이므로 외래문화입니다.

2 '거부'의 뜻은 '요구나 제의 따위를 받아들이지 않고 물리침.'입니다. 이와 뜻이 비슷한 낱말은 '상대편의 요구, 제안, 선물, 부탁 따위를 받아들이지 않고 물리침.'이라는 뜻의 '거절'입니다. 그리고 뜻이 반대인 낱말은 '부탁하는 것을 들어줌.'이라는 뜻의 '승낙'입니다.

119쪽 똑똑한 하루 독해 게임

톰이 보고 싶어 하는 공연은 판소리 예요.

○ 첫 번째 질문에서 가면(탈)을 쓰고 하는 공연은 아니라고 하였으므로 '탈춤'은 아닙니다. 두 번째 질문에서 아슬아슬 높은 줄 위에서 뛰거나 달리는 공연도 아니라고 하였으므로 '외줄타기'도 아닙니다. '사물놀이'와 '판소리'는 모두 공연에 악기가 쓰이지만 노래를 하는 사람과 북을 치는 사람 두 명이서만 공연을 하는 것은 '판소리'입니다. '사물놀이'는 북 말고도 꽹과리, 장구, 징도 사용해 공연을 합니다.

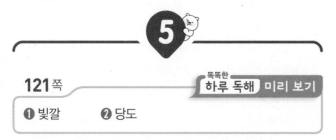

121쪽 · 하루 독해 | 미리 보기

❶ 빛깔 ❷ 당도

122쪽~123쪽 · 하루 독해

1 고루고루 **2** 맛있는 과일을 고르는 등 **3** 연주
4 ❶ 단단한 ❷ 노란빛 ❸ 송이

1 ㉠'골고루'는 '여럿이 다 차이가 없이 엇비슷하거나 같게.'라는 뜻의 '고루고루'를 줄인 말입니다. ㉠'골고루'의 앞뒤 내용을 살펴보고 뜻을 짐작해 볼 수도 있고, 낱말의 짜임에서 '고루고루'의 줄임 말임을 짐작할 수도 있습니다.

2 글의 제목과 소제목, 글 내용에서 이 글이 맛있는 과일을 고르는 방법에 대한 내용이라는 것을 알 수 있습니다.

> **채점 기준**
> 맛있는 과일이나 맛있는 사과, 배, 포도를 고르는 방법에 대한 내용이라고 썼으면 정답으로 합니다.

3 연주는 향과 무게, 빛깔 등을 보고 향이 은은하고 묵직하며 색이 고르게 붉은 빛이 도는 맛있어 보이는 사과를 알맞게 골랐습니다. 하지만 성호는 맛있는 포도를 잘 골라내지 못하였습니다.

> **《 왜 틀렸을까? 》**
> 맛있는 포도는 껍질 색이 진하고 알이 굵습니다. 그리고 송이 크기가 적당합니다. 하지만 성호는 껍질 색이 연하고 알이 작으며, 송이도 크고 알이 많이 달린 것을 골랐습니다.

4 맛있는 사과, 배, 포도를 고르는 방법에 대하여 중요한 내용을 간단히 메모합니다.

124쪽 · 하루 독해 | 어휘

1 (1) 은은한 (2) 묵직한 **2** (2) ◯

1 (1) 문장에 어울리는 낱말은 '냄새가 진하지 않고 그윽한.'이라는 뜻의 '은은한'입니다.
   (2) 문장에 어울리는 낱말은 '다소 큰 물건이 보기보다 제법 무거운.'이라는 뜻의 '묵직한'입니다.

> **《 왜 틀렸을까? 》**
> • **굵은**: 물체의 지름이 보통의 경우를 넘어 긴. 등
> • **널찍한**: 공간이 꽤 두루 다 넓은. 등

2 낱말 앞에 '붉은 빛깔'이라는 말이 있는 것으로 보아 주어진 문장에 쓰인 '돌고'의 뜻으로 알맞은 것은 '어떤 기운이나 빛이 겉으로 나타나고.'입니다.

125쪽 · 하루 독해 | 게임

수호는 잘 익은 (1) (배(포도))와 (2) (포도(배))를 사고, 계산대에서 (3) (18,000(만 팔천))원을 냈어요.

○ 아주머니들의 말을 잘 들어 보면 사과는 향기가 강하고 물렁한 게 너무 익었고, 수박은 껍질이 두껍고, 소리도 탁해서 맛이 별로일 거란 것을 알 수 있습니다. 그리고 배와 포도는 잘 익어서 당도가 높고 맛있을 거란 것을 알 수 있습니다. 잘 익은 배와 포도는 각각 10,000원과 8,000원이므로 수호는 계산대에서 18,000원을 내야 합니다.

126쪽~127쪽 · 평가 | 누구나 100점 테스트

1 낳은 **2** (2) ◯ **3** ㉱ **4** (1) ◯
5 ① **6** 사마 **7** ㉡ **8** 사과
9 ㉮ **10** (2) ◯

1 몸 밖으로 새끼를 내놓았다는 뜻으로 쓰였으므로, '낳은'이 알맞습니다.

> **《 왜 틀렸을까? 》**
> • **낳은**: 배 속의 아이, 새끼, 알을 몸 밖으로 내놓은.
> • **나은**: 보다 더 좋거나 앞서 있는.

2 먹이가 있는 곳에는 사람들의 낚싯바늘이 있고, 그렇지 않은 곳에는 플라스틱 조각들만 떠다니고 있어서 '나'는 이제 어디에서 먹이를 찾아야 할지 모르겠다고 하였습니다.

3 '나'는 바다가 쓰레기로 오염되어 먹이를 구하지 못하고 있으므로, 이 문제를 해결하기 위해서는 바다의 오염을 막을 수 있는 방법을 찾아야 합니다.

┌ **더 알아보기** ┐

토의와 토론의 차이점

• **토의**: 여러 의견을 견주어 보고 가장 좋은 해결책을 찾아 가는 협동적인 의사소통

㉠ 급식 순서를 어떻게 정할까?

• **토론**: 찬반 양쪽이 나뉜 상태에서 상대편이 우리 쪽 의견을 받아들이도록 설득하는 경쟁적인 의사소통

㉠ 악법도 지켜야 할까?

4 식충 식물에는 어떤 것들이 있는지 예를 들어 설명하였습니다.

5 끈끈이주걱의 잎은 그 이름처럼 주걱 모양을 하고 있습니다.

6 '삼아'를 소리 내어 읽으면 [사마]로 소리 납니다. 받침이 있는 말 뒤에 'ㅇ'으로 시작하는 말이 오면 받침이 'ㅇ' 자리로 넘어가서 소리가 납니다.

7 ㉠은 문제 제기, ㉡은 주장, ㉢은 주장을 뒷받침하는 근거에 해당합니다.

8 글의 내용이 달고 맛있는 사과를 고르는 방법에 대한 것이므로, ㉠ 안에는 '사과'가 알맞습니다.

9 향을 맡았을 때 향기가 강하지 않고 은은한 것이 좋다고 하였습니다.

10 밑줄 그은 낱말 앞에 '붉은 빛깔'이라는 말이 있는 것으로 보아, ㉡'돌고'는 '어떤 기운이나 빛이 겉으로 나타나고.'라는 뜻으로 쓰였습니다.

┌ **왜 틀렸을까?** ┐

(1) 밑줄 그은 낱말 앞에 '지구 주위를'이라는 말이 있는 것으로 보아, '물체가 일정한 축을 중심으로 원을 그리면서 움직이고.'라는 뜻으로 쓰였습니다.

128쪽~133쪽

1 ❶ 균열 ❷ 점액 ❸ 개량

2 일 년은 열두 달이에요.
한 사람이 한 달 동안 21그램을 섭취하므로
21×12= 252 그램이에요.

3

4 (1) 타는 (2) 여권

5 (1) ① 사 건 ② 사 실
(2) 事 實 無 根

1 3주에서 배운 낱말을 떠올리며 알맞은 답을 씁니다.

2 한 사람이 한 달 동안 섭취하는 미세 플라스틱의 양은 21그램이고, 일 년은 열두 달입니다. 한 사람이 일 년 동안 섭취하는 미세 플라스틱의 양을 구하려면 한 달 동안 섭취하는 미세 플라스틱의 양에 열두 달을 곱하면 됩니다.

3 먼저 위쪽으로 1칸, 오른쪽으로 1칸을 움직입니다. 이것을 3번 반복하면 민국이의 집에 도착합니다.

4 (1) '탑승'은 '배나 비행기, 차 따위에 올라탐.'이라는 뜻이므로, '타는'이 알맞습니다.
(2) '여권'은 '외국을 여행하는 사람의 신분이나 국적을 증명하고 상대국에 그 보호를 의뢰하는 문서.'라는 뜻이므로, '여권'이 알맞습니다.

5 (1) ① 사건(事件): 사회적으로 문제를 일으키거나 주목을 받을 만한 뜻밖의 일.
② 사실(事實): 실제로 있었던 일이나 현재에 있는 일.
(2) 빈칸에 들어갈 한자는 事(일 사) 자입니다.

136쪽~137쪽 | 4주에는 무엇을 공부할까? ❷

| 1-1 울적하고 | 1-2 서글프고 |
| 2-1 딛고 | 2-2 (2) ○ |

1-1~1-2 '마음이 답답하고 쓸쓸하고.'라는 뜻을 가진 낱말의 바른 표기는 '울적하고'입니다. '울쩍하고'로 쓰지 않도록 주의해야 합니다.

2-1~2-2 '발을 올려놓고 서거나 발로 내리누르고.'라는 뜻을 가진 낱말의 바른 표기는 '딛고'입니다.

139쪽 | 똑똑한 하루 독해 미리 보기

| 1 서자 | 2 가문 | 3 검술 |

140쪽~141쪽 | 똑똑한 하루 독해

| 1 ⑤ | 2 아버지를 아버지라 등 | 3 하윤 |
| 4 ❶ 서자 | ❷ 길동 | ❸ 불쌍한 |

1 길동은 홍 판서와 홍 판서의 첩인 길동의 어머니 사이에서 태어났기 때문에 첩의 자식이며 '서자'입니다.

2 길동은 아버지를 아버지라, 형을 형이라 부르지 못하여 마음이 울적하였습니다.

> **채점 기준**
> '아버지를 아버지라'라는 내용을 넣어 바른 표현으로 썼으면 정답으로 합니다.

3 글에서 길동은 서자로 태어났기 때문에 벼슬을 할 수 없다고 하였으므로, 이 작품의 배경이 되는 시대에는 벼슬을 할 수 있는 신분이 정해져 있었다는 것을 짐작할 수 있습니다.

4 길동은 서자로 태어나 여러 가지 차별을 받았습니다. 길동은 검술을 익히며 울적한 마음을 달랬습니다. 홍 판서는 그런 길동의 모습을 보며 불쌍한 마음이 들었지만 오히려 길동을 꾸짖었습니다.

142쪽 | 똑똑한 하루 독해 어휘

| 1 (1) 뛰어났다 (2) 어이 | 2 (2) ○ |
| 3 (1) 익히는 (2) 울적하고 |

1 (1) '남보다 월등히 훌륭하거나 앞서 있다.'를 뜻하는 낱말은 '뛰어나다'입니다.
　(2) '일이 너무 뜻밖이어서 기가 막히는 듯하다.'를 뜻하는 낱말은 '어이없다'입니다.

2 '척하다'는 하나의 낱말이므로 앞말과 띄어 써야 합니다. 따라서 (2)가 바르게 띄어쓰기한 문장입니다.

> ┌ **더 알아보기** ┐
> **'척하다'가 쓰인 문장 더 보기** 예
> • 잘난 <u>척하다</u>.　　• 아는 <u>척하다</u>.
> • 죽은 <u>척하고</u> 엎드려 있다.

3 (1) '익히는'을 소리 내어 읽으면 [이키는]이라고 발음됩니다.
　(2) '울적하고'를 소리 내어 읽으면 [울쩌카고]라고 발음됩니다.

143쪽 | 똑똑한 하루 독해 게임

길동의 소원은 🌸🍀✽를 🌸✽✽라고 부르는 거예요.
（아 버 지）（아 버 지）

● 휴대 전화를 사용하는 길동, 운동화를 신은 길동, 청바지를 입은 길동은 이 이야기의 시대 상황에 맞지 않는 길동의 모습입니다. 이 세 명의 모자에 써 있는 기호가 나타내는 글자는 각각 '아, 버, 지'이므로 길동의 소원은 아버지를 아버지라고 부르는 것입니다.

2일

145쪽 — 똑똑한 하루 독해 미리 보기

❶ 기체 ❷ 입자 ❸ 떠오른다

146쪽~147쪽 — 똑똑한 하루 독해

1 기체의 무게 등   2 ①, ②   3 (1) ○
4 ❶ 기체 ❷ 간격 ❸ 밀도

1 첫 번째 문단의 두 번째 문장을 보고 공기의 무게가 무엇인지 알 수 있습니다.

> **채점 기준**
> '기체의 무게'라는 말을 넣어 바르게 썼으면 정답으로 합니다.

2 '점차'와 비슷한말은 '조금씩 더하거나 덜하여지는 모양.'이라는 뜻을 가진 '점점'과 '어떤 사물의 상태가 시간의 흐름에 따라 일정한 방향으로 조금씩 진행하는 모양.'이라는 뜻을 가진 '차차'입니다.

> **왜 틀렸을까?**
> ③: '왈칵 달려들어 닁큼 물거나 움켜잡는 모양.'을 뜻합니다.
> ④: '시간적 · 공간적 간격이 얼마쯤씩 있게.'라는 뜻입니다.
> ⑤: '남의 눈을 피하여 재빠르게.'라는 뜻입니다.

3 그림 자료에서는 풍등이 점차 떠오르게 되는 과정을 차례대로 보여 주고 있습니다.

> **더 알아보기**
> **자료에 대해 더 알아보기**
> 연구나 조사 따위의 바탕이 되는 재료를 자료라고 합니다. 자료의 종류에는 그림 외에도 사진, 도표, 지도, 영상 등이 있습니다.

4 이 글에는 풍등이 떠오르는 과정이 드러나 있습니다. 풍등에 불을 붙이면 풍등 내부의 온도가 올라가면서 기체의 움직임이 활발해지고, 풍등 내 기체 사이의 간격이 멀어지면서 기체가 차지하는 공간이 넓어집니다. 점차 풍등 내 기체 알갱이의 수가 줄어들어 밀도가 낮아지고 공기 무게가 상대적으로 가벼워진 풍등은 위로 떠오르게 됩니다.

148쪽 — 똑똑한 하루 독해 어휘

1 (2) ○
2 (1) 외부 (2) 무거워진다 (3) 좁아진다 (4) 늘어난다

1 제시된 '간격'의 뜻과 같은 '공간적으로 벌어진 사이.'라는 뜻으로 쓰인 것은 (2)의 '간격'입니다.

> **왜 틀렸을까?**
> (1): '시간적으로 벌어진 사이.'를 뜻합니다.
> (3): '사람들의 관계가 벌어진 정도.'를 뜻합니다.

2 (1) '내부'는 '안쪽의 부분.'이라는 뜻으로, '바깥 부분.'이라는 뜻을 가진 '외부'와 반대되는 말입니다.
(2) '가벼워진다'는 '무게가 일반적이거나 기준이 되는 대상의 것보다 적은 상태로 된다.'라는 뜻으로, '무게가 나가는 정도가 큰 상태로 된다.'라는 뜻을 가진 '무거워진다'와 반대되는 말입니다.
(3) '넓어진다'는 '면이나 바닥 따위의 면적이 커진다.'라는 뜻으로, '면이나 바닥 따위의 면적이 작아진다.'라는 뜻을 가진 '좁아진다'와 반대되는 말입니다.
(4) '줄어든다'는 '부피나 분량 따위가 처음보다 작아지거나 짧아지거나 적어진다.'라는 뜻으로, '부피나 분량 따위가 처음보다 커지거나 길어지거나 많아진다.'라는 뜻을 가진 '늘어난다'와 반대되는 말입니다.

149쪽 — 똑똑한 하루 독해 게임

풍등은 과거 전쟁 중에 군과 군 사이의 (1) (공격 , **연락**) 수단으로 사용되기도 했으며, 태국에서는 복이 오기를 (2) (**기원할** , 포기할) 때 사용되기도 해요.

○ 만화에서는 풍등의 두 가지 역할을 소개하고 있습니다. 풍등은 전쟁할 때에 군과 군 사이의 연락 수단으로 사용되었습니다. 또한 태국에는 복을 기원하기 위해 풍등을 날리는 문화가 있습니다. 만화에 나타난 풍등의 두 가지 역할을 잘 정리하여 봅니다.

3일

151쪽 하루 독해 미리 보기

❶ 가속   ❷ 삽시간   ❸ 비밀

152쪽~153쪽 하루 독해

1 ②   2 ②   3 자연의 판단 – 본능 등
4 ❶ 결말 ❷ 가속 ❸ 비밀

1 '결말'과 뜻이 비슷한 말은 '마무리', '마지막', '끝', '결론'입니다. ③'결론'은 '말이나 글의 끝을 맺는 부분.'이라는 뜻입니다. '결론을 맺다.', '그 말은 결론 부분에서 해야 할 말이다.'와 같이 쓰입니다.

【 왜 틀렸을까? 】
② '목적'은 '실현하려고 하는 일이나 나아가는 방향.'이라는 뜻을 가진 낱말입니다. '목적을 향해 나아가다.', '뚜렷한 목적을 세우다.'와 같이 쓰입니다.

2 몸을 앞뒤로 흔들어 자전거를 출발시킨 글쓴이는 어느 순간 발로 페달을 차고 있었고 자전거는 도랑을 지나고 있었다고 말하였습니다. 따라서 자전거를 잘 타지 못해 도랑에 빠졌다는 것은 글쓴이에게 일어난 일이 아님을 알 수 있습니다.

3 마지막 문단에는 글쓴이가 자전거를 타며 얻은 깨달음이 나타나 있습니다. 글쓴이는 노력하고 경험을 쌓고도 잘 모르겠으면 '자연의 판단 – 본능'에 맡겨야 한다는 점을 깨달았습니다.

채점 기준
'자연의 판단'과 '본능'이라는 내용 중 한 가지 이상을 넣어 바른 표현으로 썼으면 정답으로 합니다.

4 내리막에서 자전거를 타기 전과 자전거를 탄 후의 글쓴이의 생각의 변화를 살펴보며 이 글의 내용을 정리해 봅니다. 글쓴이는 자전거를 통제하지 못하게 되는 결말을 떠올렸지만 곧 자전거와 한 몸이 되어 속도감을 느끼며 내달렸고 세상을 움직여 온 비밀을 얻게 되었습니다.

154쪽 하루 독해 어휘

1 (1) 오르막 (2) 감속   2 ❶ 안장 ❷ 페달
3 지희

1 (1) '올라가기에'에서 산이 계속 '오르막'이었다는 것을 알 수 있습니다.
  (2) 비가 오는 날에는 길이 미끄러워 사고가 날 수 있으므로 자동차의 속도를 줄여서 운전하는 '감속' 운행을 해야 합니다.

2 자전거의 부품 중에서 '사람이 앉게 된 자리.'는 '안장'이라고 하고, '발로 밟아 작동시키는 부품.'은 '페달'이라고 합니다.

3 밑줄 그은 '고르다'의 뜻과 같은 뜻으로 낱말을 사용한 친구는 '지희'입니다.

【 왜 틀렸을까? 】
준수가 말한 '고르다'는 '여럿 중에서 가려내거나 뽑다.'라는 뜻입니다. 소정이가 말한 '고르다'는 '여럿이 다 높낮이, 크기, 양 따위의 차이가 없이 한결같다.'라는 뜻입니다.

155쪽 하루 독해 게임

자전거를 바르게 타고 있는 사람은 경진 이에요.

● 그림에서 자전거를 타는 친구들의 모습 살펴보기

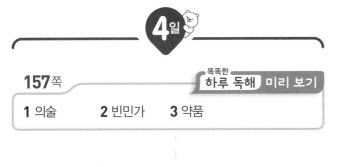

157쪽 · 똑똑한 하루 독해 **미리 보기**

1 의술 **2** 빈민가 **3** 약품

158쪽~**159**쪽 · 똑똑한 하루 독해

1 가난하고 병든 사람들을 등 **2** ①
3 ⑤ **4 ❶** 의술 **❷** 가난

1 테레사는 가난하고 병든 사람들을 돕기 위해 의술을 배워야겠다고 생각하였습니다.

> **채점 기준**
> '가난하고 병든 사람들'이라는 내용을 넣어 바르게 썼으면 정답으로 합니다.

2 테레사는 부족한 약품을 얻기 위해 하루 종일 걸어야 했습니다.

3 '평온'은 '조용하고 걱정이나 탈이 없음.'이라는 뜻입니다. 따라서 '평온한 생활'은 '조용하고 걱정이나 탈이 없는 생활'입니다. 테레사가 수도원의 '평온한 생활'이 그리웠지만 기도하며 마음을 다졌다는 점에서 힘들고 지친 일이 많은 생활과 반대되는 '평온한 생활'의 의미를 짐작할 수 있습니다.

4 이 글에서 테레사가 한 일과 테레사에게 본받을 점이 무엇인지 정리해 봅니다. 테레사는 가난하고 병든 사람들을 위해 의술을 열심히 익히고 빈민가에 무료 진료소도 열어 마침내 사랑의 선교회를 세웠습니다. 이를 통해서 테레사의 헌신적인 봉사 정신을 본받을 수 있습니다.

160쪽 · 똑똑한 하루 독해 **어휘**

1 (1) 유료 (2) 무료 **2** (1) 고친다 (2) 돌본다
3 (2) ○

1 (1) 입장권을 사야 공연을 관람할 수 있다고 하였으므로 '유료'가 알맞은 낱말입니다.

(2) 주차 요금 없이 주차장을 이용할 수 있다고 하였으므로 '무료'가 알맞은 낱말입니다.

2 (1) '치료한다'는 '병이나 상처 따위를 잘 다스려 낫게 한다.'라는 뜻을 가진 낱말이므로 '병 따위를 낫게 한다.'라는 뜻의 '고친다'와 비슷한 낱말입니다.

(2) '보살핀다'는 '정성을 기울여 보호하며 돕는다.'라는 뜻을 가진 낱말이므로 '관심을 가지고 보살핀다.'라는 뜻의 '돌본다'와 비슷한 낱말입니다.

3 '의술을 익히다.'와 (2)의 '기타를 익히다.'에서 '익히다'는 '자주 경험하여 능숙하게 하다.'라는 뜻으로 사용되었습니다.

161쪽 · 똑똑한 하루 독해 **게임**

○ 아이가 테레사 수녀에게 하고 싶은 말을 생각하며 '감사해요' 글자를 모아 봅니다. 빈칸에 알맞은 방향의 화살표가 무엇인지 따라가 보며 화살표를 그리면 완성할 수 있습니다.

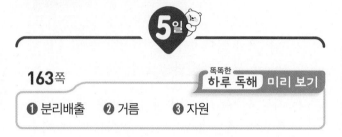
5일

163쪽 똑똑한 하루 독해 미리 보기

❶ 분리배출 ❷ 거름 ❸ 자원

164쪽~165쪽 똑똑한 하루 독해

1 최소화 **2** ② **3** 귀중한 자원 등
4 ❶ 먹을 ❷ 국그릇 ❸ 이물질

1 먹을 만큼만 받아야 음식물 쓰레기의 양을 줄일 수 있으므로 '최소화'가 알맞은 낱말입니다.

> **{ 왜 틀렸을까? }**
> '극대화'는 '아주 커짐. 또는 아주 크게 함.'이라는 뜻이고, '최대화'는 '가장 크게 함.'이라는 뜻이므로 들어갈 낱말로 적절하지 않습니다.

2 먹을 만큼만 받아야 잔반의 양을 최소화하여 음식물 쓰레기를 줄일 수 있습니다.

3 음식물 쓰레기도 잘 모으면 사료, 거름 등의 귀중한 자원이 될 수 있다는 내용이 나와 있습니다.

> **채점 기준**
> '자원'이라는 말을 넣어 썼으면 정답으로 합니다.

4 음식을 가져올 때에는 먹을 만큼만 받아서 잔반의 양을 줄여야 합니다. 급식을 먹은 후에 잔반은 국그릇에 모아 버리고, 이때 이물질은 제거하여 잔반과 섞이지 않도록 합니다.

166쪽 똑똑한 하루 독해 어휘

1 (1) ② (2) ① (3) ③   **2** (1) ㉠ (2) ㉡

1 (1) 냄새가 옷에 배었다고 했으므로 (냄새를) 없앤다는 뜻인 '제거'가 문장에 들어가기에 알맞은 낱말입니다.
　(2) 소풍이라는 이전의 경험을 생각해 내고 있으므로 '기억'이 문장에 들어가기에 알맞은 낱말입니다.
　(3) 집에서 기르는 강아지에게 주었다고 하였으므로 '사료'가 문장에 들어가기에 알맞은 낱말입니다.

2 (1) 가지고 있을 필요가 없는 물건인 휴지를 휴지통에 버린 것이므로 ㉠의 뜻이 맞습니다.
　(2) 음식물을 남기는 버릇을 없앤 것이므로 ㉡의 뜻이 맞습니다.

167쪽 똑똑한 하루 독해 게임

음식물 쓰레기로 분리배출을 해야 하는 것은 (양파 껍질 , 생선 뼈 , 복숭아씨 , 바나나 껍질)이에요.

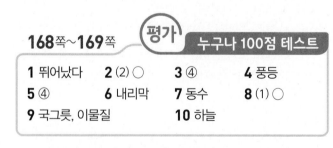

○ 양파 껍질, 생선 뼈, 복숭아씨는 일반 쓰레기이며, 바나나 껍질은 분리배출을 해야 하는 음식물 쓰레기입니다.

168쪽~169쪽 평가 누구나 100점 테스트

1 뛰어났다 **2** (2) ○ **3** ④ **4** 풍등
5 ④ **6** 내리막 **7** 동수 **8** (1) ○
9 국그릇, 이물질 **10** 하늘

1 '남보다 월등히 훌륭하거나 앞서 있었다.'를 뜻하는 낱말은 '뛰어났다'입니다.

2 서자라서 벼슬을 할 수 없는 길동은 늦은 밤까지 검술을 익히는 것으로 마음을 달랬다고 하였으므로, 벼슬을 할 수 있는 신분이 정해져 있었음을 알 수 있습니다.

3 길동은 재주가 뛰어났으나 서자라서 벼슬을 할 수 없었습니다. 이 때문에 홍 판서가 길동을 볼 때마다 한숨을 내쉰 것으로 보아, 길동을 안타깝게 여기고 있음을 알 수 있습니다.

4 이 글은 글과 그림 자료를 통해서 풍등이 떠오르는 과정을 설명해 주고 있습니다.

5 풍등에 불을 붙였을 때, 풍등 내부에서 기체 사이의 간격은 멀어진다고 하였습니다.

6 '오르막'은 '낮은 곳에서 높은 곳으로 이어지는 비탈진 곳.'이라는 뜻이므로, 뜻이 반대되는 낱말은 '높은 곳에서 낮은 곳으로 이어지는 비탈진 곳.'이라는 뜻의 '내리막'입니다.

7 테레사는 가난하고 병든 사람들을 도우려면 의술을 배워야겠다는 생각에, 의료 선교 수녀회가 운영하는 성 가족 병원에서 열심히 의술을 익혔습니다.

〔 더 알아보기 〕

마더 테레사

1948년 사랑의 선교회를 창설하여 전 세계적으로 빈민과 병자, 고아, 그리고 죽어 가는 이들을 위해 헌신하였습니다. 1979년 노벨 평화상을 수상하였고 1980년 인도의 가장 높은 시민 훈장을 받았습니다.

8 밑줄 그은 낱말 앞에 '의술을'이라는 말이 있는 것으로 보아, ㉠'익힌'은 '자주 경험하여 능숙하게 한.'이라는 뜻으로 쓰였습니다.

〔 왜 틀렸을까? 〕

(2) 밑줄 그은 낱말 뒤에 '감자는'이라는 말이 있는 것으로 보아, '고기나 채소, 곡식 등의 날것에 뜨거운 열을 가하여 그 성질과 맛을 달라지게 한.'이라는 뜻으로 쓰였습니다.

9 잔반을 버릴 때에는 국그릇에 모아서 버리고, 이물질은 꼭 제거하여 잔반과 섞이지 않도록 주의하라고 하였습니다.

10 이물질은 꼭 제거하여 잔반과 섞이지 않도록 주의하라고 하였으므로, 하늘이는 글의 내용을 잘못 이해하였습니다.

170쪽~175쪽  특강 창의·융합·코딩

1 ❶ 삽시간 ❷ 분뇨 ❸ 기체
2 (1) ② (2) ③ (3) ④ (4) ①
3 두부, 사과, 당근
4 (1) 참가 (2) 씻을 (3) 정해진
5 (1) ① 상 반 ② 상 담

(2) 相 扶 相 助

1 4주에서 배운 낱말을 떠올리며 알맞은 답을 써 봅니다.

2 아픈 사람을 치료하는 의관은 중인이고, 농사를 짓는 농민은 상민입니다. 줄 위에서 재주를 넘는 광대는 천민이고, 나랏일을 하는 관리는 양반입니다.

3 위쪽으로 2칸 이동하면 두부를, 오른쪽으로 3칸 이동하면 사과를, 아래쪽으로 2칸 이동하면 당근을 살 수 있습니다.

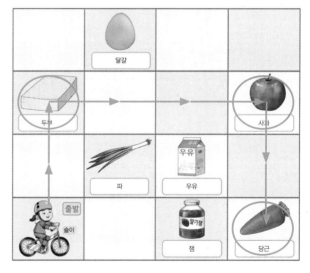

4 (1) '동참'은 '어떤 모임이나 일에 같이 참가함.'이라는 뜻이므로, '참가'가 알맞습니다.

(2) '세안'은 '얼굴을 씻음.'이라는 뜻이므로, '씻을'이 알맞습니다.

(3) '정량'은 '일정하게 정하여진 분량.'이라는 뜻이므로, '정해진'이 알맞습니다.

5 (1) ① 상반(相反): 서로 반대되거나 어긋남.

② 상담(相談): 문제를 해결하거나 궁금증을 풀기 위하여 서로 의논함.

(2) 빈칸에 들어갈 한자는 相(서로 상) 자입니다.

문제 읽을 준비는
저절로 되지 않습니다.

문해력을 키우는 시간

하루 10분

똑똑한 하루 국어 시리즈

문제풀이의 핵심, 문해력을 키우는 승부수

예비초~초6 각A·B
교재별14권

예비초A·B, 초1~초6: 1A~4C
총 14권

정답은
이안에
있어!

배움으로 행복한 내일을 꿈꾸는
천재교육 커뮤니티 안내

. . .

교재 안내부터 구매까지 한 번에!
천재교육 홈페이지

자사가 발행하는 참고서, 교과서에 대한 소개는 물론
도서 구매도 할 수 있습니다. 회원에게 지급되는 별을 모아
다양한 상품 응모에도 도전해 보세요!

다양한 교육 꿀팁에 깜짝 이벤트는 덤!
천재교육 인스타그램

천재교육의 새롭고 중요한 소식을 가장 먼저 접하고 싶다면?
천재교육 인스타그램 팔로우가 필수!
깜짝 이벤트도 수시로 진행되니 놓치지 마세요!

수업이 편리해지는
천재교육 ACA 사이트

오직 선생님만을 위한, 천재교육 모든 교재에 대한 정보가 담긴
아카 사이트에서는 다양한 수업자료 및 부가 자료는 물론
시험 출제에 필요한 문제도 다운로드하실 수 있습니다.

https://aca.chunjae.co.kr

천재교육을 사랑하는 샘들의 모임
천사샘

학원 강사, 공부방 선생님이시라면 누구나 가입할 수 있는 천사샘!
교재 개발 및 평가를 통해 교재 검토진으로 참여할 수 있는 기회는 물론
다양한 교사용 교재 증정 이벤트가 선생님을 기다립니다.

아이와 함께 성장하는 학부모들의 모임공간
튠맘 학습연구소

튠맘 학습연구소는 초·중등 학부모를 대상으로 다양한 이벤트와 함께
교재 리뷰 및 학습 정보를 제공하는 네이버 카페입니다.
초등학생, 중학생 자녀를 둔 학부모님이라면 튠맘 학습연구소로 오세요!